Bru

# SYDNEY

**KÖNEMANN**

*** Fortement conseillé
** Conseillé
* À voir éventuellement

Première publication en 1996
par New Holland (Publishers) Ltd.

© 1996 Texte : Bruce Elder
© 1996 Cartes : Globetrotter Travel Maps
© 1996 Photos : Voir crédits photographiques
© 1996 New Holland (Publishers) Ltd.

Titre original : Globetrotter Travel Guide Sydney

Copyright © 1999 pour l'édition française, revue
Könemann Verlagsgesellschaft mbH
Bonner Straße 126, D-50968 Cologne

Traduction de l'anglais : M.-Ch. Louis-Liversidge
Révision de texte : Robert Bared
Recherche : Catie Willis
Responsable de collection : Kristina Meier
Responsable de projet : Aggi Becker
Assistance : Sybille Kornitschky
Réalisation : Libris / Imagis, Seyssinet-Pariset
Cartes : Jean-Philippe Repiquet
Design de couverture : Peter Feierabend
Chef de fabrication : Detlev Schaper
Impression et reliure : Sing Cheong Printing Co. Ltd.
Imprimé en Chine (Hong Kong)

ISBN 3-8290-0744-2

10 9 8 7 6 5 4 3 2 1

L'éditeur ne saura être tenu responsable
des erreurs ou omissions involontaires qui auraient
pu subsister dans ce guide. Toutes les informations
ont été rassemblées et vérifiées avec le plus grand
soin. Estimées exactes à la date de réalisation,
des changements de dernière minute ne sont pas
à exclure. Nous remercions nos lecteurs de toutes
leurs bonnes adresses, corrections, suggestions
et découvertes personnelles adressées à :
Könemann Verlagsgesellschaft mbH,
Bonner Straße 126, D-50968 Cologne.

# SOMMAIRE

# 1
# Sydney se présente

Les *Sydneysiders* (les habitants de Sydney) vous diront que leur cité est la plus belle du monde, même s'ils n'ont pas voyagé pour faire la comparaison.

Demandez leur pourquoi, ils vous montreront le port qui, les jours de soleil, reflète la lumière comme des morceaux de diamants.

De nombreux parcs et jardins paysagers bordent les rives de la baie qui resplendit sous les rayons du soleil. Le pont imposant qui la traverse et les célèbres voiles élancées de l'**opéra** ajoutent un caractère féerique à ce site. Les ferries sillonnent l'immense étendue de « Sydney Harbour » et permettent d'explorer ce site spectaculaire en une journée. Les citadins les empruntent pour rejoindre leurs bureaux en ville.

Mais il n'y a pas que les habitants de Sydney pour vous décrire cette ville magnifique.

Lors de son séjour en Australie, Anthony Trollope, écrivain anglais du XIXᵉ siècle, se disait à court de mots pour décrire le paysage baigné par la mer qui s'étendait devant ses yeux.

Sir Arthur Conan Doyle, le créateur de Sherlock Holmes, de passage à Sydney, évoqua les lieux en ces termes : « Cette baie splendide, encadrée par les terres, et ses nombreux estuaires latéraux sont un formidable terrain de jeu pour ce peuple adorateur de la mer. Le samedi, elle est assiégée par toutes sortes d'embarcations, du plus petit esquif à l'énorme paquebot. » Pour l'écrivain américain Mark Twain, qui visita Sydney en 1895, la baie est « l'enfant chéri de Sydney et une des merveilles du monde ».

**CURIOSITÉS TOURISTIQUES**

**\*\*\* L'opéra de Sydney :** un élément marquant de l'architecture du XXᵉ siècle.
**\*\*\* North Head et South Head :** ces deux promontoires offrent de magnifiques panoramas de la ville et de l'océan Pacifique.
**\*\*\* Taronga Park Zoo :** l'un des plus beaux parcs du monde.
**\*\*\* Blue Mountains :** les paysages spectaculaires, les escarpements abrupts, les reliefs vallonnés, les cascades et les chemins à travers le bush sont un enchantement.

**Ci-contre :** *un ancien ferry restauré amarré à Darling Harbour. Au second plan, le quartier des affaires étincelle à la tombée de la nuit.*

## LE PAYS

On peut s'imaginer la grande région de Sydney comme une sorte d'énorme soucoupe percée de vallées et de rivières.

À l'ère glaciaire se sont formées les trois vallées correspondant aux actuels **Hawkesbury River** et **Broken Bay** (au nord), à la baie de **Port Hacking** (au sud) et à la **Baie de Sydney.** Puis le niveau de la mer s'éleva d'une centaine de mètres et ces vallées devinrent les immenses voies navigables que l'on connaît aujourd'hui. On peut en percevoir le fond lorsqu'on survole la cité en avion.

À l'est de Sydney, de hautes falaises abruptes tombent dans l'océan. Les pointes rocheuses de **North Head** et de **South Head** se dressent, telles des sentinelles, à l'entrée de la baie. On retrouve ce littoral escarpé au sud, le long du **parc national Royal,** et au nord, au-delà de Broken Bay. La zone métropolitaine est une plaine de 50 km qui s'étend jusqu'au pied des **Blue Mountains**, à l'ouest. Elle est encadrée au nord et au sud par des plateaux de grès assez bas. La rivière Nepean longe le contrefort de ces montagnes et se jette dans la rivière Hawkesbury, près de Windsor. Celle-ci coule dans une très belle vallée et se jette dans la mer, à Broken Bay.

Les plateaux, au sud de Sutherland, et les escarpements, au nord, près de Lindfield et de Pymble, font partie des nombreux points de vue situés autour de la ville et qui

**À droite :** *le JetCat relie Manly à Circular Quay en 15 mn. Grâce à ce voyage à prix modique, on peut apprécier toute l'étendue de la baie. Sur cette photo, le ferry passe devant South Head, un des promontoires situés à l'entrée du port.*

**À gauche :** *un long chapelet de plages se déroule de Cronulla, au sud, jusqu'à Palm Beach au nord de la ville de Sydney. Bondi Beach et Manly Beach sont les plus célèbres. Au nord, la plage de sable blanc de Dee Why attire de nombreux surfers.*

permettent de comprendre la topographie de cette grande région métropolitaine. Au loin, par temps clair, on aperçoit les Blue Mountains qui se découpent sur l'horizon occidental.

### La côte

Le superbe littoral et les côtes de la baie ont donné à Sydney sa renommée internationale. La côte océane s'étend de Broken Bay, au nord, jusqu'à Port Hacking, au sud. La plupart des plages, comme celle de Bondi et de Manly, les plus célèbres, sont encadrées par des pointes rocheuses assez basses.

Ces avancées sont des lieux de pêche idéaux. Pendant les longs mois d'été, les *Sydneysiders* ont à leur disposition plus d'une vingtaine de plages magnifiques où l'on peut faire du surf, se baigner ou se dorer au soleil. En hiver, le temps clément permet de faire des randonnées sur les chemins côtiers, et d'organiser des pique-niques entre amis dans les parcs avoisinants.

Des chemins balisés suivent les contours des rives de la baie qui sont restées, en majeure partie, accessibles au public. Les nombreuses plages qui la bordent sont plus abritées que les plages océanes, et la mer y est plus calme.

Parmi celles dont la popularité remonte à plus d'un siècle, citons : Balmoral, Clontarf et Clifton Gardens, au nord, Camp Cove et Nielsen's Park pour les banlieues est.

---

**LES MEILLEURES PLAGES**

Chaque plage de Sydney a sa spécialité :

**\*\*\* Bondi Beach :** très proche du centre-ville, son long ruban de sable fait le bonheur des citadins qui s'y précipitent après le travail.

**\*\*\* Whale Beach :** plus difficile d'accès. De nombreuses personnalités riches et célèbres ont choisi de s'y installer.

**\*\*\* Manly Beach :** un ensemble de plages accessibles en ferry.

**\*\*\* Palm Beach :** elle est séparée de la baie par une presqu'île que l'on peut arpenter jusqu'au phare situé sur un promontoire rocheux.

Les *Sydneysiders* ont conscience de vivre sous un climat privilégié. Les étés sont longs et ensoleillés. Toutefois, lorsque les cyclones se déchaînent sur les côtes du Queensland, des pluies diluviennes s'abattent sur l'agglomération. Les orages d'été sont parfois très violents. Le *southerly buster*, un vent du Sud, entraîne des refroidissements, souvent après une période chaude et humide. Les hivers sont doux, mais il neige parfois dans les Blue Mountains et sur les plateaux du Sud.

## Le climat

Sydney bénéficie d'un climat très doux. Les pluies sont en général bien espacées tout au long de l'année avec une légère concentration vers la fin de l'automne et au début de l'hiver. Pendant l'été, les journées sont ensoleillées et la température est subtropicale. On compte une moyenne de 342 jours de soleil par an. La grande région métropolitaine, qui s'étend sur 25 km au sud, 35 km au nord et plus de 50 km à l'ouest et au sud-ouest, est sujette à des variations climatiques. À l'ouest et au sud-ouest, il gèle en hiver. En été, les températures peuvent atteindre 5° de plus que dans les autres banlieues de Sydney. Dans les **Blue Mountains** et les régions montagneuses du Sud-Ouest, il tombe parfois un peu de neige en hiver.

## La flore

L'**eucalyptus** ou gommier est l'arbre le plus commun de la région. On le trouve partout, le long des côtes et dans les

parcs, mais il acquiert toute sa splendeur dans les épaisses forêts qui recouvrent les reliefs des Blue Mountains, à l'ouest de Sydney, et qui semblent peintes d'un léger bleu fumé. Dans les banlieues sud, le sol, très calcaire, est peu fertile. La végétation a un aspect dépouillé et une couleur vert-de-gris.

Les arbres européens à feuilles caduques ont été plantés de façon intensive dans les banlieues longeant la côte. C'est pour cette raison que certains quartiers, surtout au nord de la ville, peuvent paraître d'aspect plus européen qu'australien.

Le sol de gré au sud de la ville, peut fertile, laisse paraître les mêmes arbres d'un aspect vert grisâtre peu attractif ; leur feuillage est inutilisable.

## La faune

Les 200 ans d'extension urbaine ont provoqué une migration de la faune indigène hors de l'agglomération. **Koalas, ornithorynques** (platypus), **kangourous, wallabies, et fourmiliers**, qui étaient très nombreux dans cette région, se sont raréfiés. Ils se sont réfugiés à l'extérieur de la ville ou ont été recueillis dans des réserves naturelles ou des jardins zoologiques.

Les **ornithorynques** et les **échidnés** sont des monotrèmes. Ils pondent des œufs comme des ovipares et allaitent leurs petits comme des mammifères. Les marsupiaux élèvent leurs petits dans une poche ventrale. Ce groupe comprend les **kangourous**, les **wallabies**, les **wombats** (ou phaloscome), les **koalas** et les **possums** (ou phalangers). Ces derniers, peu farouches, s'approchent des jardins, les autres vivent dans la brousse ou dans des réserves.

Les **serpents** et les **araignées** sont très nombreux. Le terrain calcaire de la région est un habitat idéal pour l'**araignée à toile entonnoir**, qui est particulièrement venimeuse et agressive. L'**araignée à dos rouge**, apparentée à la veuve noire d'Amérique, se blottit dans les endroits sombres.

On a tendance à imaginer que Sydney est peuplée de toutes sortes d'animaux dangereux qui vous menacent à tout instant. En fait, les accidents sont très rares. Les habitants sont conscients des dangers. La plupart des plages de l'océan sont surveillées et celles de la baie sont protégées par des filets. Par ailleurs, il n'existait aucun animal carnivore en Australie avant l'arrivée des animaux domestiques. Les chats et les chiens, retournés à l'état sauvage, ont proliféré grâce à cet environnement. Ils ont fait de grands ravages parmi les oiseaux et les petits mammifères, dont certains ont disparu.

Les oiseaux et leurs chants variés donnent à Sydney son exotisme subtropical. On y voit des **loriquets arc-en-ciel**, des **cacatoès** et des **perroquets**, ainsi que des **kookaburras**. Sur certaines plages du Nord, les **mouettes**, très présentes, partagent leur terrain de chasse avec les **pélicans**.

*Ci-dessus : à Sydney, il est désormais très rare de voir un koala sauf dans le parc zoologique et dans les réserves.* **Page ci-contre :** *l'angophora costata est un gommier typique de la région de Sydney. Son tronc noueux et ses branches sont rose foncé.*

---

### ARAIGNÉES VENIMEUSES

Sydney abrite de nombreuses araignées. Les deux plus dangereuses sont l'**araignée à toile entonnoir** *(funnelweb spider)* et l'**araignée à dos rouge** *(redback)*. La première se cache dans le sol et peut vivre jusqu'à cinq ans. Lorsqu'elle se sent menacée, elle laisse échapper quelques gouttes de venin et se dresse sur ses pattes arrière, prête à attaquer. La seconde se niche dans les coins obscurs des habitations. Il faut immédiatement aller à l'hôpital lorsqu'on est piqué par une de ces deux espèces.

## APERÇU HISTORIQUE

L'histoire de Sydney est aussi celle de la colonisation de l'Australie par les Européens. Avant leur arrivée, de nombreuses tribus aborigènes vivaient dans la région du port.

Le **capitaine James Cook** s'approcha de la côte est de l'Australie en 1770. Lorsqu'il entra dans **Botany Bay**, il prit conscience de l'importance de sa découverte. Le site était idéal pour fonder une nouvelle colonie. Il n'avait toutefois pas mesuré tout le potentiel de la baie de Sydney, qu'il s'était contenté d'observer de la mer.

Le 13 mai 1787, une flotte de 11 navires quitta la Grande-Bretagne pour se diriger vers **Botany Bay**. Le 19 janvier 1788, **Arthur Phillip,** commandant du **Sirius**, le plus gros bâtiment de la flotte, fut nommé gouverneur de la première colonie pénitentiaire.

Peu de temps après avoir abordé à Botany Bay, Phillip,

---

**SUR LES TRACES DE L'HISTOIRE**

**1788** La colonie pénitentiaire est installée à Sydney Cove.
**1793** Construction de la première église. Première représentation théâtrale donnée par les forçats : *The Recruiting Officer* (« L'Officier de recrutement »).
**1803** Publication du premier journal australien, *Sydney Gazette and NSW Advertiser*. Première messe donnée par l'Église catholique romaine.
**1804** Rébellion des bagnards à Castle Hill, près de Sydney.
**1826** Installation du 1er réverbère sur la place Macquarie.
**1828** Première attaque de banque. Le butin : 12 000 £.
**1838** Émission du premier timbre-poste du monde.
**1850** Fondation de l'Université de Sydney, la 1re d'Australie.
**1854** Ouverture de la ligne de chemin de fer entre le centre-ville et Parramatta.
**1855** Ouverture du terrain de cricket : Sydney Cricket Ground.
**1863** Certains quartiers de la ville sont électrifiés.
**1881** Ouverture du premier parc zoologique. (Il sera remplacé par le parc de Taronga en 1916).
**1883** Une ligne de chemin de fer relie Sydney à Melbourne.
**1901** Inauguration du Commonwealth of Australia à Centennial Park.
**1906** Ouverture de Central Railway Station, la grande gare centrale.

**1910** Ouverture de la bibliothèque nationale : Mitchell Library.
**1923** Deux stations de radio (2SB et 2FC) commencent à émettre. Début de la construction du métro souterrain de Sydney.
**1930** Donald Bradman devient champion de cricket en battant le record de 452 points en 415 mn.
**1932** Inauguration du pont de Sydney.
**1938** Des vagues gigantesques emportent 200 personnes sur la plage de Bondi.
**1942** Trois sous-marins japonais pénètrent dans la baie de Sydney. Le bateau militaire *Kuttabul* est torpillé.
**1945** Départ de la première course de voiliers Sydney-Hobart.
**1946** Premier bikini interdit sur la plage de Bondi.
**1953** Premier festival de films de Sydney.
**1973** Ouverture de l'opéra de Sydney.
**1980** Ouverture de Centrepoint Tower, le plus haut bâtiment de la ville.
**1988** Célébration du bicentenaire de la colonisation.
**1992** Ouverture du tunnel qui relie les banlieues nord au centre-ville et décongestionne la circulation sur le pont.
**1993** Décision du Comité international olympique : Les Jeux de l'an 2000 auront lieu à Sydney.

déçu par le site recommandé par le capitaine Cook pour la nature de son sol et ses riches pâturages, décida d'aller explorer les environs. Le 21 janvier, il partit explorer l'actuel **Port Jackson** et **Broken Bay**, accompagné d'un petit groupe de marins. Dans le rapport qu'il fit de sa découverte, il déclara que c'était le plus beau port naturel du monde, où des milliers de voiliers pouvaient naviguer en pleine sécurité. En débarquant de son navire, sur la côte nord de la baie, il fut accueilli par une vingtaine d'aborigènes sans armes. Leur comportement pacifique et la façon dont ils se tenaient fièrement sur la grève lui donnèrent l'idée de baptiser cette plage « Manly ». Il décida ensuite de rejoindre la pointe sud de la baie et d'installer un camp sur une plage qu'il nomma **Camp Cove.**

Phillip partit ensuite explorer la côte sud, et découvrit un grand port naturel. La profondeur de l'eau permettait aux grands voiliers d'accoster les berges. Par ailleurs, un ruisseau alimentait en eau potable ce petit endroit paradisiaque. Il le nomma **Sydney Cove,** d'après Lord Sydney, le secrétaire d'État britannique de cette époque.

Le 26 janvier, la flotte du capitaine Arthur Phillip quitta Botany Bay et se dirigea vers Sydney Cove. Dès leur débarquement, les bagnards furent immédiatement employés à déboiser les berges afin d'établir le premier site de la colonie. Le soir même, l'*Union Jack*, le drapeau de la reine Anne, flottait au-dessus du camp, et les officiers portèrent un toast à la famille royale et à l'avenir de ce nouveau territoire.

On construisit des maisons, on dessina des chemins le long de **Tank Stream,** le ruisseau d'eau potable. Puis on érigea les résidences des officiers et une prison pour abriter les forçats. Peu à peu, on cultiva la terre et on commença l'exploration de la région. Sydney était alors une colonie pénitentiaire insalubre et complètement isolée du reste du monde.

*Ci-contre : de nombreux monuments de Sydney commémorent les exploits maritimes du capitaine Cook (photo p. 10), le premier Européen à avoir abordé la côte est de l'Australie, et du capitaine Arthur Phillip, qui découvrit le site où allait être érigée la ville de Sydney.*

*Ci-dessous : les casernes de Hyde Park (Hyde Park Barracks), furent construites par les bagnards afin d'héberger 800 prisonniers. Elles font partie des monuments historiques de Macquarie Street et abritent aujourd'hui le Museum of Social History in New South Wales (le musée de l'histoire sociale de la Nouvelle-Galles du Sud).*

**À droite :** *à quelques heures de route vers l'ouest de Sydney, les Blue Mountains offrent un décor bien différent du paysage maritime de la baie. On y découvre de magnifiques cascades, des escarpements abrupts et des vallées encastrées.*

**Page ci-contre :** *le quartier des affaires est relié à Darling Harbour par un monorail qui permet aux touristes de circuler entre les boutiques du centre-ville et le superbe complexe commercial de ce port rénové il y a une dizaine d'années.*

Les premières années de l'établissement de la colonie furent très difficiles. L'équipement apporté par la Première Flotte était inadéquat. De plus, les forçats et les soldats n'avaient aucune expérience de la terre. Les vivres commencèrent à manquer et tous attendaient anxieusement les bateaux en provenance du Royaume-Uni, de Batavia (actuelle Djakarta) et du cap de Bonne-Espérance. La famine menaçait la petite communauté dès qu'un navire tardait à arriver.

Quelques mois après le débarquement de la Première Flotte, des conflits opposèrent les autochtones et les Européens. En mai 1788, un forçat qui travaillait en bordure de Sydney Cove, à Rushcutters Bay, fut tué par un aborigène. Peu de temps après, deux bagnards furent à leur tour transpercés par des lances indigènes. Les circonstances de ces meurtres sont demeurées obscures jusqu'à nos jours.

Trois ans après son arrivée, le capitaine Phillip demanda au gouvernement britannique d'envoyer des colons libres auxquels on attribua des terres à cultiver. Dès 1791, 150 personnes exploitaient des terrains agricoles et employaient la main-d'œuvre gratuite que constituaient les forçats. Ces nouvelles ressources contribuèrent à améliorer les conditions de vie de la colonie. On progressait alors vers une économie autonome.

Les gouverneurs qui succédèrent à Phillip étaient presque tous des militaires. Leur objectif principal était de résoudre les problèmes économiques et sociaux de la colonie et d'agrandir le territoire de la Couronne. On tenta plusieurs fois d'explorer les Blue Mountains, ces forêts d'eucalyptus qui semblaient très difficiles à traverser. **Blaxland, Wentworth** et **Lawson** y parvinrent, en 1813. Quelques années plus tard, la petite colonie de Sydney Cove devenait le centre urbain de la Nouvelle-Galles du Sud, la première entité britannique d'Australie.

Le gouverneur Lachlan Macquarie, qui dirigea cette colonie de 1810 à 1823, fut l'instigateur des grandes transformations du paysage urbain. Il utilisa le talent d'un ancien forçat, l'architecte Francis Greenway, pour construire de nombreux bâtiments publics. Pendant cette même période, on instaura un système d'éducation publique, on améliora le statut des femmes et des enfants, et on fonda la première banque de la colonie : la « Bank of New South Wales ».

L'histoire de Sydney, de 1825 à 1860, est celle de l'évolution d'une société pénitentiaire vers une société à part entière, avec ses colons libres et ses forçats émancipés. Cependant, le mois de mai 1851 marque un tournant dans l'histoire de ce continent isolé : **Edward Hargraves** rapportait 120 g d'or qu'il avait trouvé dans la région. Cette découverte enfiévra les esprits. En

une nuit, les ouvriers de Sydney abandonnèrent leurs outils et se précipitèrent vers les terrains aurifères. Mineurs et prospecteurs du monde entier accoururent vers ce nouvel eldorado.

L'expansion économique de Sydney se poursuivit dans les années 1870 et 1880. Jusqu'à nos jours, elle est restée le centre financier et industriel de l'Australie, ainsi que son premier port d'accueil. Toutefois, la prédominance de cette cité fut par moments concurrencée par Melbourne, qui devait sa prospérité aux terrains aurifères de Victoria.

Pendant la période qui suivit la Deuxième Guerre mondiale, la cité se modernisa et se développa considérablement. Le transport urbain s'améliora et les banlieues s'étendirent comme autour des villes américaines.

**UN DÉBUT DIFFICILE**

Les 11 bateaux de la Première Flotte arrivèrent à Botany Bay en janvier 1788. Le capitaine Phillip, réagissant contre un environnement inhospitalier, décida de s'installer à Port Jackson. Les premiers colons durent faire face à toutes sortes de maladies, à l'hostilité des aborigènes, au manque d'enthousiasme des ouvriers qui étaient des bagnards. L'arrivée de la Seconde Flotte, en 1790, améliora cette situation et, grâce au développement de l'agriculture, on parvint à se protéger de la famine. L'économie connut une petite croissance et, en 1808, on exporta la première cargaison de laine vers l'Angleterre.

**Ci-dessus :** *de nombreux bâtiments historiques bordent Macquarie Street. Le Parlement de la Nouvelle-Galles du Sud, les casernes de Hyde Park, la bibliothèque Mitchell, l'hôpital de Sydney et l'ancien Hôtel des monnaies témoignent du rôle important joué par Sydney dans l'histoire de l'Australie.*

## GOUVERNEMENT ET VIE ÉCONOMIQUE

L'administration de Sydney relève de deux autorités principales : les conseils municipaux, qui répondent directement aux besoins des communautés locales, et le Gouvernement de la Nouvelle-Galles du Sud, à la tête de l'État. Toutefois, 60 % de la population étant concentrés à Sydney, le pouvoir gestionnaire de ce Gouvernement est focalisé sur la capitale de l'État.

Le Gouvernement de la Nouvelle-Galles du Sud siège au **Parliament House,** à Macquarie Street. Sont de son ressort : la législation, l'éducation, la police, les ponts et chaussées, les hôpitaux et la santé.

Les conseillers municipaux perçoivent un traitement modique. Leur fonction consiste à gérer dans leur district l'entretien des routes, les égouts, le service de nettoyage, les permis de construire, l'urbanisme et l'immobilier. Leur pouvoir décisionnel est souvent restreint par les législations fédérales, mais leurs prérogatives locales ne sont nullement négligeables.

Dans le passé, Sydney était une colonie pénitentiaire administrée par un gouverneur choisi par le Parlement britannique, dont le pouvoir était absolu. Sa charge devint rapidement trop lourde pour un seul homme, vu les difficultés économiques.

En 1823, le gouverneur **Lachlan Macquarie** instaura un **Conseil législatif.** Ce fut le premier pas vers un Gouvernement autonome. Cette année-là, le **Supreme Court** (la Cour suprême) acquit son indépendance et dès lors, l'ancien droit militaire, qui subsistait depuis 1788, disparut.

Avec l'accroissement de la population, il fallut reconsidérer le système administratif et politique de la colonie. Sous l'autorité du gouverneur Ralph Darling (1825-1831), on renforça le pouvoir du conseil législatif, on organisa un département des douanes, on créa le service des postes et un bureau de gestion des problèmes fonciers.

Le système administratif qui liait la colonie au Parlement anglais devenait peu à peu obsolète. En 1852, les Britanniques accordèrent une certaine autonomie au Gouvernement australien. En 1855, l'assemblée législative fut créée et les colons élurent leurs représentants à la chambre basse. Sydney devint officiellement le centre administratif de l'État, qui allait s'étendre à l'ensemble des territoires de la côte est.

### Développement économique

En vingt ans (1841-1861), la population de Sydney atteignit 96 000 habitants, surtout grâce à la ruée vers l'or (à partir de 1851). La classe de propriétaires terriens qui, jusqu'alors, avait tenu les rênes du Gouvernement, devint minoritaire. Cependant, le système électoral traditionnel lui permettait toujours de contrôler les deux Chambres du Parlement.

Les années 1880 furent très bénéfiques pour l'économie de Sydney et de la Nouvelle-Galles du Sud. Cette prospérité s'accrut au cours des premières décennies du XXᵉ siècle, en particulier lors de la Première Guerre mondiale.

### Transports

La réussite économique de la Nouvelle-Galles du Sud est fondée sur la force et la diversité des secteurs industriels et financiers dont Sydney est le pilier principal.

L'**aéroport** de Sydney est la première destination de la majorité des vols de l'étranger. La baie, l'opéra et le pont sont des attractions touristiques réputées sur le plan international.

---

**LE PONT DE SYDNEY**

Dès 1850, on conçut l'idée d'un pont traversant la baie. Les premiers plans datent de 1857, mais le projet fut approuvé par le Gouvernement de la Nouvelle-Galles du Sud en 1923. La société Dorman Long & Co Ltd, de Middlesborough, en Angleterre, fut chargée de la construction, dont le coût fut estimé à 4 217 721£. Des techniciens furent envoyés d'Angleterre. Les tailleurs de pierres étaient écossais, et les pierres étaient extraites de Moruya. À la fin des travaux, les frais s'élevaient à 9 577 507 £.

**Ci-dessous :** *le capitaine Arthur Phillip décrivit Sydney comme « le plus beau port naturel du monde, dans lequel des milliers de voiliers pouvaient naviguer sans danger ». Aujourd'hui, les voiliers et toutes sortes de bateaux sillonnent cette merveilleuse étendue d'un bleu profond.*

### LES MARCHÉS DU SAMEDI

De nombreux marchés ont lieu à Sydney le samedi :
• **Balmain Market :** Darling Street, Balmain, ouvert de 7 h 30 à 16 h, tél. : (04) 1876-5736.
• **Bondi Beach Night Markets,** Bondi Beach, de 17 h à 23 h.
• **Glebe Markets,** Glebe Point Road, Glebe, ouvert de 10 h à 17 h.
• **Manly Arts & Crafts Market,** Manly, 12 h à 19 h 30.
• **Paddington Bazaar,** Oxford Street, Paddington, 10 h à 17 h, tél. : (02) 9331-2646.
• **Rozelle Market,** Darling Street, Rozelle, 9 h à 16 h, tél. : (02) 9818-5373.
• **The Rocks Market,** George Street, The Rocks, 10 h à 17 h, tél. : (02) 9255-1717.

**Ci-dessous :** *Martin Place est le centre du quartier des affaires. À gauche, se trouve la poste centrale (General Post Office).*

Sydney est aussi le centre ferroviaire et routier de la Nouvelle-Galles du Sud. **Central Railway Station,** la gare centrale, est un carrefour des lignes reliant les États. Un service de cars opère à partir de plusieurs endroits de la ville.

### Industrie

Sydney est le moteur économique de la Nouvelle-Galles du Sud et, en ce qui concerne certaines industries, elle est le noyau central de l'Australie. Toutes les grandes chaînes de télévision et médias nationaux sont établis dans la capitale de l'État.

Son quartier des finances, aussi important que celui de Melbourne, abrite le siège social de toutes les banques principales et des compagnies d'assurance.

Historiquement, c'est à l'ouest et au sud de la cité que se trouvent les centres industriels. Mais l'expansion résidentielle des banlieues tend à repousser cette zone un peu plus loin, jusqu'à **Campbelltown,** par exemple, ou **Silverwater.**

### Électricité et approvisionnement en eau

La réserve d'eau de Sydney provient de plusieurs barrages situés à l'extérieur de la ville. Le **Warragamba Dam** est le plus connu. Ces barrages sont installés sur le **Nepean** et le **Woronora,** des fleuves qui descendent les flancs escarpés des collines.

Malgré des sécheresses assez fréquentes, il est rare que les citadins aient à subir des restrictions d'eau, mais il arrive que l'arrosage des jardins ne soit pas autorisé à la fin de longues périodes sans précipitations.

L'agglomération de Sydney est alimentée en **énergie** par les centrales hydroélectriques et thermales de la Nouvelle-Galles du Sud. Le Snowy Mountain Hydro-Electricity Scheme est l'un des principaux fournisseurs de tout l'État et utilise les eaux de la fonte des neiges de l'hiver, dans la région.

La **Hunter Valley,** au nord de Sydney, est riche en charbon et les nombreuses centrales de la région fournissent de l'électricité pour la ville de Sydney.

**À gauche :** *les terrasses de café se sont multipliées pendant ces vingt dernières années, grâce au climat agréable et au style de vie décontracté. Les restaurants offrent une cuisine de qualité à des prix très modérés.*

## LES HOMMES

Les *Sydneysiders* sont en général très ouverts, bons vivants et serviables. N'hésitez pas à demander de l'aide au besoin, vous trouverez en général une grande courtoisie et un accueil chaleureux. Le contraire serait l'exception qui confirme la règle.

Les visiteurs étrangers habitués à l'attitude universellement accrocheuse des vendeurs sont surpris de l'atmosphère détendue qui règne dans les boutiques, les grands magasins et les hôtels. L'Australien a horreur de l'agressivité. Il est très décontracté et son langage reflète son tempérament. Il s'exprime dans un anglais chantant et termine volontiers ses phrases sur une inflexion interrogative, qui parfois déroute un peu.

Le climat de Sydney permet de se vêtir de façon très libre et très détendue. L'été, il fait chaud et une atmosphère de vacances règne sur la cité : les hommes sont en shorts et les femmes portent des petites robes très légères. Les restaurants acceptent les tenues sport, la cravate n'est pas obligatoire et le col de chemise est souvent ouvert. Cependant, tongs et t-shirts ne sont pas acceptés partout.

Il est important de se souvenir des origines de la société de Sydney. Jusqu'au milieu du XXᵉ siècle, dans les années cinquante, la communauté européenne était essentiellement anglo-saxonne. Il y avait une forte résistance aux influences étrangères ou multiculturelles, à tel point que l'arrivée mas-

> ### LES FÊTES DU BICENTENAIRE
>
> Le 26 janvier 1788, onze navires arrivés d'Angleterre débarquèrent 736 prisonniers sur les berges de Sydney Cove. 200 ans plus tard, alors que le 26 janvier était devenu le jour de la fête nationale, plus de 2 millions de personnes participèrent aux commémorations. Le prince Charles et la princesse Diana se joignirent à cette fête. Parmi les manifestations qui eurent lieu tout au long de l'année, on assista à une reconstitution de l'arrivée de la Première Flotte, à un défilé de gros navires venus de tous les coins du monde, à un défilé d'avions militaires et à des feux d'artifice. Plus d'un million de personnes visitèrent les grands navires amarrés à Darling Harbour.

*Ci-dessus : malgré le chômage qui afflige les communautés aborigènes, des centres culturels importants se sont ouverts. Ils assurent une assistance juridique, organisent des stages ainsi que des spectacles de danse.*

### MUSÉE DE SYDNEY

Situé sur l'emplacement du premier Government House, (Parlement), au coin de Bridge Street et de Phillip Street, le musée présente une rétrospective très intéressante de l'histoire de Sydney. À l'entrée, se trouvent les fondations de la première maison du gouverneur Phillip (1788). Une exposition renseigne le visiteur sur l'évolution de la colonie britannique à Sydney entre 1788 et 1850. Un étage est réservé à l'histoire de la tribu Eora, qui vivait sur ce site avant l'arrivée des Européens.

sive de Chinois pendant la ruée vers l'or dans les années 1850 et 1860, inquiéta la population locale et engendra des manifestations racistes très violentes. On instaura de façon officieuse une politique qui visait à rendre l'immigration des gens d'origine autre qu'anglo-saxonne difficile, voire impossible. Il s'agissait de la **White Australia Policy**, la politique de l'Australie blanche qui persista pendant presque un siècle. Cette résistance face aux apports culturels non anglo-saxons entraîna une réaction raciste à l'encontre des aborigènes. Ce protectionnisme outrancier, dans un pays si peu peuplé, limitait la culture aux vieilles valeurs anglo-saxonnes et l'empêchait d'évoluer. La cuisine, par exemple, a longtemps souffert de cette exclusivité.

Les *Sydneysiders* se plaisent à évoquer, sur le ton de la plaisanterie, leur ascendance de forçats, même s'ils déclarent volontiers que leur société est devenue égalitaire. Il existe, en fait, une classe sociale « supérieure » (qui équivaut à l'*Upper Class* anglaise) mais elle n'est guère appréciée. Les valeurs de la société australienne sont fondées avant tout sur les qualités humaines et la réussite personnelle.

L'Australien est conscient du fossé qui existe entre « travailleurs » et « patrons ». Cette aversion pour l'inégalité sociale remonterait au temps des bagnards, lorsque les relations entre prisonniers et matons étaient tout aussi hostiles.

### La société aborigène

Comme toute grande agglomération, Sydney attire les populations rurales à la recherche de travail. Beaucoup d'**aborigènes** vivent en ville. La plupart d'entre eux se sont intégrés à l'ensemble de la population. Cependant, **Redfern** rassemble, depuis longtemps, une partie de la communauté urbaine aborigène. Celle-ci bénéficie aujourd'hui de nombreux services d'aide sociale tels que l'**Aboriginal Legal Centre,** un bureau d'assistance juridique, mais aussi de stages de formation de toutes sortes et de centres culturels et artistiques. Le **Bangarra Dance Theatre** a été créé dans un de ces centres.

Les aborigènes de **La Pérouse**, une banlieue au sud de Sydney, sont parvenus à transmettre, de génération en génération, l'histoire de leur peuple depuis l'établissement des premiers Européens. Une fois par an, le 26 janvier, jour de la fête nationale, **(Australia Day)**, ils se réunissent dans un parc pour célébrer leur résistance face à l'occupant européen et la survie de leur culture et de leurs traditions (*voir* « Les fêtes du bicentenaire », page 17).

Dans les années 1990, des changements dans la politique du gouvernement fédéral vis-à-vis de cette minorité ont permis de reconsidérer leur statut. Cette amélioration ne peut toutefois occulter les massacres, la dispersion forcée des tribus, et toutes les conséquences de la politique d'assimilation.

En 1994, la Cour suprême a rendu un jugement visant à accorder aux aborigènes le droit de revendiquer des terres appartenant à la Couronne. Cette décision, appelée « jugement de Mabo », se réfère à l'appel d'un insulaire du détroit de Torres, Eddy Mabo. Celui-ci attira l'attention sur le concept de *terra nullus*, pour le réfuter. En effet, lors de son passage au cap York, le capitaine Cook avait ignoré l'existence d'une population indigène qui vivait sur les côtes d'Australie. Ce pays déclaré inhabité *(terra nullus)* pouvait, de ce fait, être légitimement approprié par la Couronne britannique.

---

### LES ABORIGÈNES

Il existe des ouvrages très intéressants sur l'histoire des aborigènes de Sydney depuis 1788 : *When the Sky Fell Down : The Destruction of the Tribes of the Sydney Region 1788-1850s* de Keith Willey (Collins, Sydney, 1979) et *Pemulwuy : The Rainbow Warrior* de Eric Willmot (Weldon, Sydney, 1987). Le premier est l'histoire de l'impact de la colonisation européenne sur les indigènes de cette région. Le second raconte la vie de l'un des chefs aborigènes les plus célèbres, qui a résisté à l'oppression du colonisateur dans la région de Sydney.

---

**À gauche :** *le 26 janvier, on célèbre Australia Day. C'est l'été, on peut assister à des représentations variées sur les plages, dans les parcs et, comme ici, dans le centre-ville.*

**À droite :** *le Mardi gras homosexuel attire beaucoup de visiteurs. L'ambiance est très enjouée et très colorée. Les* drag queens, *superbement déguisés, défilent dans Oxford Street sous l'œil amusé de milliers de spectateurs.*

### Langue et culture

Après la **Deuxième Guerre mondiale**, le Gouvernement australien changea sa politique d'immigration, car il était nécessaire de peupler ce grand continent. La marine japonaise, qui avait menacé le Nord de l'Australie pendant la guerre, avait engendré la crainte d'une invasion asiatique.

L'ouverture des frontières permit l'immigration d'une population venue d'Europe de l'Est, puis, dans les années 1950, de Grande-Bretagne, de Grèce et d'Italie. Des Turcs, Libanais et plus récemment des Vietnamiens trouvèrent refuge dans ce vaste pays, ainsi que des habitants de Hong Kong pressés de mettre en sûreté leurs biens avant la passation du territoire à la Chine. Cette population issue d'horizons différents contribua au **multiculturalisme** de la Nouvelle-Galles du Sud qui jusqu'alors était majoritairement anglo-saxonne.

Alors que la plupart des immigrés ont très vite adopté la façon de vivre australienne, certains ont préféré conserver leurs traditions culturelles et se sont regroupés selon leur nationalité d'origine. À l'ouest de Sydney, Cabramatta abrite une communauté vietnamienne très importante. Les restaurants de la rue principale proposent des cuisines asiatiques très raffinées. Leichhardt est le quartier italien,

---

**LES SOUS-MARINS JAPONAIS DANS LA BAIE DE SYDNEY**

Le 31 mai 1942, trois sous-marins japonais ont tenté d'entrer dans la baie de Sydney. L'un d'entre eux s'autodétruisit après avoir été attrapé dans un filet anti-torpilles. Le deuxième lança deux torpilles sur le navire américain *Chicago* qui était amarré dans le port. Il demeura à l'extérieur de la baie pendant une dizaine de jours, au cours desquels il coula trois bateaux qui longeaient les côtes. Il parvint finalement à s'enfuir. Le troisième toucha le fond de la baie et explosa, causant l'ouverture d'une large brèche dans le navire *Kuttabul*. 19 marins australiens et 2 marins britanniques trouvèrent la mort dans cette attaque. Les épaves des deux sous-marins furent récupérées.

Newton et Enmore sont des banlieues grecques. Les Turcs et les Libanais se sont installés à Granville, les Indiens à Liverpool.

Comme dans beaucoup de pays, la culture américaine a influencé la langue, la tradition vestimentaire, et a envahi les écrans de cinéma. Toutes les grandes chaînes de fast-food font partie intégrante du paysage urbain et des habitudes alimentaires. On trouve des McDonald's, des Pizza Hut, et des Kentucky Fried Chicken.

Les banlieues de Sydney ressemblent aux banlieues américaines avec leurs complexes commerciaux, leurs gigantesques parcs de stationnement, leurs autoroutes et l'alignement de maisons individuelles qui s'étendent sur des kilomètres.

### Religion

La religion la plus répandue à Sydney, comme dans les reste de l'Australie, est le christianisme. À Sydney et dans ses banlieues, les églises représentent différentes confessions et doctrines : **anglicanisme, catholicisme, Uniting Church** (entre **presbytériens** et **méthodistes)**, et des courants minoritaires comme la **Church of the Latter Day Saints**, ainsi que des églises orthodoxes (la grecque orthodoxe est fortement représentée).

Aujourd'hui, le christianisme n'est plus la seule religion présente en Australie. À Wollongong se trouve un important temple bouddhiste et à Granville, à l'ouest de Sydney, un Imam fait sa prière du haut de la tour d'une mosquée moderne.

En 1986, l'Australie comptait environ 110 000 musulmans, plus de 80 000 bouddhistes, près de 70 000 juifs pratiquants et 21 500 hindous, dont beaucoup vivent à Sydney.

**Ci-dessous :** *le temple bouddhiste Fokuangshan Nan Tien, au sud de Wollongong, est le plus grand temple bouddhiste de l'hémisphère sud.*

Ci-dessus : « *Opera in the Park* » *est un concert annuel. Plus de 100 000 personnes se rassemblent pour écouter les plus grands chanteurs d'opéra.*

### L'HÔTEL DE VILLE DE SYDNEY

Ouvert en 1889, l'hôtel de ville de Sydney est un bâtiment typique du XIXᵉ siècle, de style néo-Renaissance italienne. Il a été restauré récemment. Son hall central peut contenir 2 000 personnes et il possède un orgue impressionnant (8 500 tuyaux). Depuis la construction de l'opéra, ce bâtiment est réservé aux réunions, aux concerts, aux assemblées de toutes sortes, aux bals et aux grandes fêtes. Des chanteurs très connus, comme Tom Paxton, Odetta et Ralph McTell, ainsi que des musiciens africains et sud-américains viennent régulièrement y donner des concerts.

## Les arts

La vie intellectuelle de Sydney a beaucoup changé depuis 50 ans. Auparavant, les seules valeurs culturelles acceptables venaient d'Angleterre et tout ce qui était australien n'avait qu'une importance secondaire. Dans les années 1950, un professeur d'université déclarait que *Kangourou*, de l'auteur britannique D.H. Lawrence, était la meilleure évocation de la vie à Sydney au début du siècle. Peu à peu, des écrivains australiens prouvèrent qu'ils pouvaient eux-mêmes exprimer les valeurs et l'âme de leur pays et contribuèrent à développer l'identité nationale.

La reconnaissance de la culture australienne à l'étranger suscite un grand enthousiasme. Ainsi, **Patrick White** (qui remporta le prix Nobel de littérature), **Thomas Keneally** et **Peter Carey** (qui obtint le Booker Prize), tous trois originaires de Sydney, sont désormais considérés comme les figures de proue de la littérature australienne.

Le succès international des films de la Néo-Zélandaise **Jane Campion** *(La Leçon de piano)*, de **Peter Weir** *(Witness)*, de **Dean Semmler,** qui remporta un Oscar pour son film *Danse avec les loups,* ainsi que l'audience locale obtenue par **Fred Schepisi** et **Bruce Beresford,** ont confirmé l'existence d'une culture riche et variée.

Le **Sydney Symphony Orchestra** est réputé dans le monde entier. Les cantatrices **Joan Sutherland** et **Yvonne Kenny** ont chanté dans les plus grands opéras d'Europe et des États-Unis. Les compagnies de danse de Sydney sont aussi très appréciées à l'étranger.

Des peintres et des artistes, tels que **Brett Whiteley,** ont recréé l'atmosphère magnifique de leur ville et leurs œuvres sont exposées dans de nombreuses galeries internationales.

Bien entendu, les préoccupations quotidiennes du *Sydneysider* moyen sont généralement beaucoup plus simples. On aime surtout passer du bon temps, se réunir entre amis, aller à la plage et profiter du climat toujours propice aux promenades. Ainsi, pour allier vie culturelle et plein air, de nombreux concerts gratuits sont organisés annuellement dans les parcs publics. Au mois de janvier, le Sydney Arts Festival attire plus de 100 000 personnes qui assistent au *Symphony Under the Stars* (« symphonie sous les étoiles »), aux opéras, à des concerts de rock et aux célébrations d'*Australia Day*, la fête nationale.

### Sport

Le climat très agréable favorise une profusion de loisirs de plein air. Les *Sydneysiders* aiment le sport sous toutes ses formes. En été, on joue au cricket. De nombreux matchs ont lieu sur les terrains de sport de banlieue. Ils permettent de sélectionner les meilleurs joueurs susceptibles d'intégrer la fameuse équipe **NSW Sheffield Shield.** Souvent, le dimanche, on peut voir des gens jouer des matchs amicaux de cricket, dans leur quartier ou dans le parc local.

Alors que les matchs de cricket de première catégorie attirent peu de monde, les matchs internationaux du **Sydney Cricket Ground** et du **Bradman Oval** à Bowral, qui ne durent qu'une journée, sont extrêmement appréciés.

**LES JEUX OLYMPIQUES**

Les jeux Olympiques de l'an 2000 auront lieu pour la première fois à Sydney. 15 000 athlètes et organisateurs sont attendus pour cet événement. Ils seront hébergés dans un village construit pour cette occasion. Le parc Olympique comprendra un stade de 80 000 places, un centre aquatique qui accueillera plus de 12 000 personnes, un auditorium (15 000 places), un centre de Hockey (15 000 places), un centre de tennis (10 000 places) et un centre de basket-ball (10 000 places). Des courses de voiliers auront lieu dans la baie.

**Ci-dessous :** *situé à 14 km du centre de Sydney, le parc Olympique est en cours de construction.*

La natation est un autre sport de prédilection pour les habitants de Sydney. De nombreuses compétitions de tous niveaux ont lieu régulièrement à l'échelle locale ou nationale. Les plages ne sont jamais très loin et beaucoup de jardins sont équipés de piscines. Le matin, les plus courageux font des longueurs avant d'aller travailler et le soir, après le bureau, il est agréable de se rafraîchir à nouveau par quelques brasses bienfaisantes.

En hiver, les *Sydneysiders* jouent au rugby à XV (*rugby union*) et au rugby à XIII (*rugby league*), au football européen et au netball (sorte de handball). La plupart de ces matchs de haut niveau sont retransmis à la télévision ou à la radio. Bien qu'il soit gênant de l'admettre, il existe une sorte de hiérarchie sociale entre ces différentes disciplines. En effet, la plupart des joueurs de rugby à XV viennent d'écoles privées. Celles-ci organisent des compétitions régulières entre leurs équipes. Le rugby à XIII est beaucoup plus populaire et se joue un peu partout dans les banlieues. Le football européen intéresse particulièrement les communautés originaires d'Angleterre, d'Italie et d'Europe de l'Est.

L'intérêt du sport australien réside plutôt dans le nombre de joueurs que dans celui de spectateurs. Le samedi, dans toutes les villes et banlieues, on participe à des compétitions de tennis, de golf, de netball, de cricket et de football.

D'autres activités moins compétitives comme la pêche, la randonnée pédestre, la natation et, bien sûr, le surf sont très appréciées. Très souvent, les matchs de football ou de cricket entre amateurs fournissent l'occasion d'un pique-nique ou d'un barbecue entre amis.

L'image de l'Australien fanatique de sport est, certes, un cliché, mais elle n'est pas complètement fausse. La fréquentation des terrains de sport, pendant le week-end, en est une preuve.

**Ci-dessous :** *tous les matchs internationaux se déroulent au Sydney Cricket Ground.*

## Restauration et vins

La compagnie aérienne nationale Qantas (*voir* adresse p. 115) propose un petit-déjeuner traditionnel, qui comprend un bifteck, des tomates frites et des œufs. Il relève d'une époque révolue où l'on passait le week-end autour d'un barbecue copieux. On faisait griller des saucisses, des steaks et des oignons qu'on agrémentait de

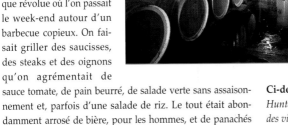

**Ci-dessus :** *les caves de Hunter Valley produisent des vins excellents.*

sauce tomate, de pain beurré, de salade verte sans assaisonnement et, parfois d'une salade de riz. Le tout était abondamment arrosé de bière, pour les hommes, et de panachés ou de vin blanc pour les femmes.

Aujourd'hui, les barbecues sont toujours de rigueur, mais les ingrédients sont beaucoup moins caloriques et bien plus variés.

La bière est souvent remplacée par un bon vin de **Hunter Valley** (Nouvelle-Galles du Sud), de **Barossa Valley** ou de **Margaret River** (régions viticoles de l'Australie occidentale). Les sauces ont été remplacées par des condiments plus exotiques. Sur les barbecues, les épaisses côtes de bœuf ont laissé place aux tranches de poisson, au steak et aux saucisses, aux grosses crevettes roses (*king prawns*) et au poulet.

Les Australiens mangent et boivent bien. Leur niveau de vie le leur permet et le pays est riche en produits de qualité, qui sont facilement disponibles, et, en considération des prix dans le monde, relativement bon marché. Les visiteurs étrangers sont étonnés par les prix des restaurants (environ deux fois moins chers qu'en Europe), qui offrent une variété considérable de cuisines internationales et utilisent des produits d'une fraîcheur inégalable.

Les bars à vins et les cafés de Sydney se sont multipliés ces dernières années. La cuisine préparée dans les restaurants fait preuve d'une grande variété ethnique et reflète le changement du style de vie au cours des cinquante dernières années.

### PADDY'S MARKET

Tous les *Sydneysiders* se rappellent l'ancien marché de Paddy. La modernisation du centre-ville et de la halle, devenue trop exiguë pour abriter un nombre croissant d'étals, a nécessité le déplacement temporaire de ce marché vers Redfern. Récemment, Paddy's Market a retrouvé sa situation centrale près de Chinatown. C'est le marché le plus grand de Sydney. Il comprend plus de 1 000 éventaires. Il est agréable de venir chiner parmi des étalages de vêtements, de bijoux, de jouets, de souvenirs et de produits typiquement australiens.
Ce marché est ouvert le samedi et le dimanche, de 9 h à 16 h 30. Pour tous renseignements, contactez le 1-300-361-589.

# 2
# Le centre de Sydney

Le quartier des affaires, qui s'étend au sud du port, est le quartier historique par excellence. De là, le visiteur peut traverser le pont, explorer The Rocks et Circular Quay, se promener dans les jardins botaniques, admirer les bâtiments de Macquarie Street, et faire ses courses dans le centre-ville et à Darling Harbour.

## LE MEILLEUR DE SYDNEY
### Le Harbour Bridge ★★★

Sa traversée est inoubliable. Pour accéder au passage réservé aux piétons, il faut passer par Argyle Street, dans le quartier des Rocks, gravir les escaliers (*Argyle Steps*), traverser Cumberland Street et suivre les panneaux qui indiquent « Bridge Stair ». La vue est spectaculaire, surtout très tôt le matin, et en fin d'après-midi.

Ce pont est le plus célèbre monument d'Australie. Sa construction dura 9 ans, son poids est de 60 000 tonnes et son point culminant domine la baie à une hauteur de 134 m. Il est répertorié dans le *Guiness* (livre des records) comme le plus grand pont à arche métallique du monde. Avec ses 49 m de large, il permet une circulation sur huit voies, et possède deux voies ferrées, une piste cyclable et un espace réservé aux piétons.

Avant sa réalisation, les quartiers nord de la ville étaient séparés du centre et des quartiers sud.

Lorsque sa construction fut terminée, les passagers devaient payer un droit de péage de six pennies. Aujourd'hui, la traversée du nord au sud coûte 2 $A, elle est gratuite dans l'autre sens.

---

**CURIOSITÉS TOURISTIQUES**

**★★★ The Rocks :** un lieu historique qui vous donne une idée de la vie très dure des premiers colons.
**★★★ Sydney Aquarium :** il abrite une faune aquatique australienne très complète.
**★★★ Royal Botanic Gardens :** ces jardins paysagers sont un havre de paix situé au bord de la baie, à proximité des gratte-ciel de la cité.
**★★★ Opera House** et **Centrepoint Tower :** magnifiques bâtiments que l'on peut visiter. La tour offre un superbe panorama de Sydney et des environs.

**Ci-contre :** *le pont de Sydney relie le nord et le sud de la baie.*

### The Rocks ★★★

À la fin du XVIIIᵉ siècle et au XIXᵉ, ce quartier était le centre de la petite ville coloniale. Militaires et anciens forçats y savouraient les plaisirs de la vie nocturne. Aujourd'hui, on y trouve des boutiques de cadeaux très élégantes, des pubs et des restaurants.

La visite des Rocks commence à George Street, à l'entrée du Cahill Expressway. Dirigez-vous ensuite vers le **Mercantile Hotel,** prenez la rue piétonne en bas de Cumberland Street, descendez l'escalier d'**Argyle Cut** et traversez Playfair Street pour rejoindre **Rocks Square.** Cette promenade prend environ une demi-heure. Vous pouvez aussi visiter l'ancien poste de police qui date de 1882 sur le côté ouest de George Street. Le **Museum of Contemporary Art** se situe de l'autre côté de la rue. Le **John Cadman's Cottage** (1816) est la plus ancienne maison de Sydney. Elle se trouve près du centre d'information : **The Rocks Visitors Centre** (ouvert tous les jours de 9 h à 18 h). Il est situé dans l'ancien **Sailor's Home,** une maison d'accueil pour les marins.

*Ci-dessus :* le quartier des Rocks, autrefois très dangereux, est devenu un des endroits les plus touristiques. **Ci-dessous :** Cadman's Cottage est la plus ancienne demeure de la ville. Cadman, un forçat, la construisit et y vécut pendant trente ans, de 1816 à 1846.

Un escalier, situé à gauche de George Street lorsqu'on se dirige vers le quartier des affaires, mène vers **Mariners' Church** (1856) et le **ASN Co Building** (1884). Juste après le Old Sydney Park Royal Hotel, se trouvent le **Merchants House Museum,** à gauche, ainsi que les immenses entrepôts qui abritent le marché : **The Rocks Weekend Market.** À partir du Mercantile Hotel, vous pouvez revenir vers **Argyle Steps,** et visiter **The Rocks Centre.**

Des spectacles gratuits sont présentés à divers moments de la journée. Les galeries d'art sont assez nombreuses. L'une d'elles, **Aboriginal Art and Tribal Centre,** expose des

œuvres aborigènes. Elle se situe au 117 George Street. La galerie **S.H. Ervin Gallery,** sur Observatory Hill, est également très intéressante.

Vous pouvez aussi faire vos achats dans les magasins spécialisés en opales, en pierres précieuses. Outre leur marchandise habituelle, les boutiques de souvenirs vendent des animaux australiens en peluche.

### Circular Quay ★★★

Circular Quay, connu anciennement sous le nom de Sydney Cove, était le centre de la première colonie européenne. C'est encore l'endroit où les *Sydneysiders* viennent célébrer *Australia Day* (le 26 janvier). En 1988, ils s'y sont réunis pour les fêtes du bicentenaire, et en 2000 ils viendront acclamer les vainqueurs des jeux Olympiques.

Il est agréable de se promener dans ce quartier par une belle journée ensoleillée. Partir de **Park Hyatt Sydney Hotel,** près du pont, et suivre le bord de l'eau jusqu'à **Campbells Storehouse** (1839-1861). On peut se restaurer en chemin, dans d'excellents restaurants italiens, chinois et australiens. Une magnifique réplique du *Bounty,* le navire du capitaine

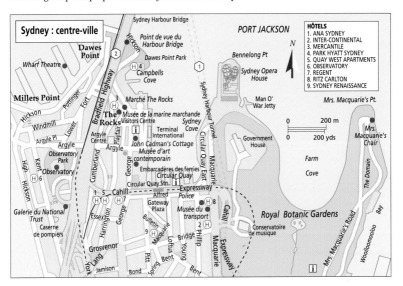

Bligh, est ancrée à Campbell Cove. Elle servit de décor pour le tournage du film de Mel Gibson : *Les Mutinés du Bounty.*

En continuant vers Sydney Cove, on est parfois surpris par un immense paquebot de croisière amarré au terminal international. L'ancien bâtiment des douanes **(Customs House)** abrite désormais le **Museum of Contemporary Art.** Il organise des expositions temporaires et possède une superbe collection internationale d'œuvres d'art contemporain.

De nombreux ferries circulent entre la cité et Manly, le zoo de Taronga, Cremorne Point, Mosman, Neutral Bay, Darling Harbour, Balmain et bien d'autres destinations. L'aller-retour est bon marché. Même si le voyage n'est pas organisé, il vous permettra de voir la baie, les côtes, le pont et l'opéra.

### L'opéra ★★★

A côté de Circular Quay se dresse Sydney Opera House, le bâtiment le plus original de la ville. De nombreuses personnalités telles que Germaine Greer, l'écrivain féministe, le trouvèrent de mauvais goût. D'autres, au contraire, comme John Douglas Pringle, directeur du *Sydney Morning Herald,* fut très élogieux pour son architecture moderne. « C'est un édifice dont les Australiens peuvent être fiers, sans doute la seule vraie réalisation architecturale du continent. »

230 architectes de 32 pays différents participèrent au concours international annoncé dès 1955. **Joern Utzon,** un Danois de 38 ans, remporta le prix. Il reçut 5 000 £ de récompense et commença la réalisation de son projet. La construction dura 14 ans, et son prix s'éleva à 100 millions de $A. Utzon dut faire face à de nombreuses controverses. Le coût de la construction s'avéra bien au-delà des prévisions et il dut

---

**L'OPÉRA :**
**QUELQUES INFORMATIONS**

• La première représentation à l'opéra de Sydney eut lieu bien avant la fin des travaux. En effet, le chanteur Paul Robeson improvisa un récital pour les ouvriers qui construisaient cet édifice.

• Le rideau de scène de l'opéra, le « Curtain of the Sun », (« rideau du soleil »), créé par John Coburn, a été tissé à Selletin, un village français.

• En 1974, la célèbre cantatrice australienne, Joan Sutherland, a chanté les trois rôles de soprano dans *Les contes d'Hoffmann,* produit par l'Australian Opera Company.

• Le toit de l'opéra pèse 157 800 t et est recouvert de 1 056 000 carreaux de céramique.

• Joern Utzon conçut le projet d'un toit en forme de coques en segmentant une sphère.

accepter de réduire les dimensions de la salle principale. Pour financer la fin des travaux, on organisa une loterie.

Ces « coquilles » ou ces « ailes », suivant l'imagination de chacun, représentent une performance technologique. Trois grues gigantesques furent importées de France, afin de pouvoir installer les 2 194 structures en béton armé qui furent assemblées avec de la résine époxyde et maintenues par 300 km de câble sous tension. L'ensemble a été recouvert de 4 000 carreaux de céramique fabriqués en Suède.

L'opéra de Sydney est constitué de cinq salles (une salle de concert, un cinéma, un théâtre lyrique, un théâtre dramatique et une salle d'enregistrement), six salons, une bibliothèque, cinq studios de répétition et 65 loges. Des films sont projetés gratuitement dans la journée, et les spectacles affichent souvent complet. Le dimanche, l'ambiance est très animée. Sur le parvis qui borde la baie, on assiste à des spectacles gratuits, des musiciens jouent du jazz et des artisans vendent leurs productions.

**Page ci-contre :** *Circular Quay est le point de convergence des plus belles attractions de Sydney : la baie, l'opéra, le pont, et les gratte-ciel gigantesques.*

La promenade des Rocks jusqu'au bout de Circular Quay est superbe. La vue de la baie, de l'opéra et de Sydney Cove est différente à chaque pas. D'excellents restaurants jalonnent ce circuit, et il est agréable de s'y arrêter pour apprécier

**Ci-dessous :** *l'opéra, grâce à sa toiture spécifique, rivalise avec le pont comme emblème architectural de Sydney.*

*Ci-dessous :* la verrière pyramidale et celle en forme d'arc sont situées dans les jardins botaniques. Elles abritent plus d'un million d'espèces de plantes.

plus longtemps le paysage. Des visites guidées de l'opéra sont organisées tous les jours de 9 h à 16 h. Pour plus de renseignements téléphonez au : (02) 9250-7111.

### Royal Botanic Gardens ★★★

Derrière l'opéra se trouvent les Royal Botanic Gardens. C'est un endroit tranquille au cœur de la ville. En 1788, le gouverneur Phillip, qui avait rapporté des graines de ses voyages à Rio et à Cape Town, les fit planter dans ce jardin potager qu'il appela Farm Cove. En 1816, le gouverneur Macquarie rebaptisa ce parc « Botanic Gardens ». Il nomma Charles Fraser pour le gérer et fit construire une route jusqu'à **Mrs Macquarie's Chair.**

La physionomie de ce jardin a changé durant ces deux siècles. Il s'est en effet considérablement développé. L'herbarium renferme notamment une très belle collection, et les verrières sont de véritables petits paradis tropicaux.

Le visiteur qui vient des Rocks et a marché jusqu'au parc après avoir visité l'opéra est ravi de se reposer au pied d'un arbre et de reprendre des forces pour atteindre Macquarie's Chair, visiter l'Art Gallery of New South Wales ou admirer les façades imposantes des immeubles de Macquarie Street.

Ces jardins accueillent annuellement près de 2,5 millions de visiteurs. Le midi, s'échappant du travail pendant une heure, les *Sydneysiders* viennent déjeuner sur les pelouses des Botanic Gardens et celles du Domain. Certains sillonnent le parc en faisant du jogging, d'autres goûtent simplement le soleil.

Les « Botanic Gardens » ont un service d'information : le **Visitors Centre.** On y trouve aussi un restaurant et une boutique. Du centre du parc, vous pouvez suivre une visite gui-

dée gratuite, tous les jours à
10 h 30.

Les jardins sont ouverts de
7 h au coucher du soleil. Pour
tous renseignements, appelez
le (02) 9231-8111 ou le (02)
9231-8125.

### Mrs Macquarie's Chair★★

À l'est de l'opéra et des jardins se trouve un endroit où
la femme du gouverneur
Macquarie aimait à venir
observer la baie. Il est resté
l'un des sites panoramiques

les plus fréquentés. En fin d'après-midi, l'opéra et le pont se
dessinent en ombres chinoises contre le soleil couchant.

### Art Gallery et le Domain ★

Au sud de Mrs Macquarie's Chair se trouve le musée d'art et
le **Domain**. Depuis le XIXe siècle, le Domain est un lieu très
populaire, un genre de *Speakers Corner* (comme celui de Hyde
Park, à Londres). Les orateurs et tous ceux qui désirent exprimer leurs points de vue viennent discourir devant une foule
amusée. On y donne aussi des concerts comme *Carols by
Candlelight*, qui attirent les foules à l'époque de Noël.

L'**Art Gallery of New South Wales** abrite une collection
d'art australien, européen, américain et aborigène. On
peut y voir les tableaux de Conrad Martens, très influencé
par Turner, et d'intéressants paysages de l'époque coloniale ainsi que des toiles d'artistes contemporains
comme celles de Lloyd Rees et Brett Whiteley. Le musée
possède aussi des œuvres de grands maîtres européens
comme Rembrandt, Picasso et quelques impressionnistes
français.

L'entrée est gratuite mais les expositions temporaires
sont payantes. Le bâtiment comprend un café-restaurant et
une librairie. La galerie est ouverte tous les jours de 10 h à
17 h. Pour tous renseignements, appelez le (02) 9225-1744
ou le (02) 9225-1790.

**Ci-dessus :** *l'Art Gallery of
New South Wales possède
une collection de peintures
qui couvre toute l'histoire de
l'art en Australie, des
premières aquarelles du début
de la colonisation aux œuvres
d'artistes contemporains.*

---

#### MACQUARIE

Lachlan Macquarie est né
en 1761 à Ulva, dans les
Hébrides écossaises. Il arriva
en 1810 avec sa femme,
Élizabeth, et une servante
noire qu'il avait achetée pour
85 roupies en Inde. Macquarie
était un visionnaire.
Pendant son gouvernement,
la Banque de la Nouvelle-
Galles du Sud fut fondée,
on traversa les Blue Mountains,
on construisit de nombreuses
routes et plus de 200 villes
furent créées.

*Ci-dessus : la plus grande bibliothèque de la Nouvelle-Galles du Sud est située à Macquarie Street. Elle doit sa création à David Mitchell, un bibliophile de la fin du XIXᵉ siècle. Il y abrita sa superbe collection de littérature australienne.*

## MACQUARIE STREET

Bien que Pitt Street et George Street soient proba-blement les rues principales de Sydney, Macquarie Street est la plus intéressante de la ville. C'était autrefois le quartier de la bonne société. Elle commence près de l'**opéra** et se termine à **Hyde Park.** En la descendant vers Circular Quay, on longe les **Royal Botanic Gardens** où se trouve le **Conservatoire de musique,** bénéficiant d'un cadre verdoyant. Un peu plus bas sur la droite, l'ensemble architectural du Parlement et quelques autres bâtiments historiques se dressent solennellement. À gauche, elle est bordée de très belles maisons du XIXᵉ siècle et d'immeubles de style anglais classique. L'un d'entre eux abrite le **Royal Australian College of Surgeons** (la faculté de médecine).

Du côté de Hyde park se trouve le **Sydney Hospital** construit en 1880, et le Parlement de la Nouvelle-Galles du Sud. De l'autre côté, au milieu du quartier de la finance, s'étend **Martin Place**, avec son monument aux morts juste en face de l'imposant **General Post Office.**

### Mitchell Library ★

La **Library of New South Wales** (ou Mitchell Library) est l'endroit où sont conservés tous les documents historiques concernant l'État ainsi que de nombreuses archives nationales. Elle possède les journaux tenus par le capitaine Cook et le journal de bord du *Bounty,* écrit par le capitaine Bligh. David Scott Mitchell, un grand bibliophile, fit le don de 61 000 ouvrages à cette bibliothèque, jouant ainsi un rôle déterminant dans sa fondation. Il faisait partie des 24 premiers étudiants de l'Université de Sydney, dont il fut diplômé en 1859. Des lectures, des débats littéraires et des expositions sont organisés régulièrement. Tous les ans, le 16 juin, jour du *Bloomsday,* on peut assister à la lecture d'*Ulysse* de James Joyce.

---

### MACQUARIE STREET
#### DANS LES ANNÉES 1920

Le roman *Kangourou* que D.H. Lawrence a écrit en 1923 commence ainsi : « Un groupe d'ouvriers se reposaient sur l'herbe du parc près de la rue Macquarie, à l'heure du dîner. C'était l'hiver, la fin de mai, le soleil était tiède, ils étaient couchés là, en manches de chemise, à bavarder. Certains mangeaient des nourritures enveloppées dans du papier. Assis ou couchés sur l'herbe, près de la large route goudronnée où passaient sans cesse fiacres et taxis, ils donnaient l'impression de posséder la ville. »

On peut aussi y voir des films et des documentaires australiens. La bibliothèque est ouverte de 9 h à 21 h du lundi au vendredi et de 11 h à 17 h le samedi et le dimanche. L'entrée est gratuite. Pour tous renseignements, appelez le (02) 9273-1414.

## Parliament House *

Construit en 1810, le **Parliament House** est l'un des édifices historiques les plus élégants de la cité. Des visites sont organisées lorsque le Parlement n'est pas en session. On peut assister aux séances de questions et observer les politiciens débattre des problèmes de l'État dans « la fosse aux ours » (un surnom donné par les *Sydneysiders* à l'endroit où les débats ont lieu), mais il est nécessaire de réserver. Le Parlement est ouvert du lundi au vendredi de 9 h 30 à 16 h. Pour tous renseignements, appelez le (02) 9230-2111.

## Hyde Park Barracks ***

Les casernes ont été construites en 1819 et abritent aujourd'hui un musée très intéressant sur l'histoire sociale de l'Australie, en particulier sur la vie des premiers forçats. Une illustration audiovisuelle recrée l'atmosphère des débuts de la colonie pénitentiaire.

### L'HISTOIRE DE HYDE PARK BARRACKS

Aujourd'hui attraction touristique, ces casernes ont une histoire intéressante. Elles furent érigées entre 1817 et 1819 par les bagnards pour héberger 800 d'entre eux. Pendant les premières années, les forçats vivaient dans des conditions très dures. Dans les années 1850, ce bâtiment accueillit les femmes célibataires immigrées. Puis il devint un foyer pour les femmes sans ressources. Pendant plusieurs années, le Gouvernement de la Nouvelle-Galles du Sud y installa ses bureaux. Restauré en 1984, il a été aménagé en musée de l'histoire sociale. Il est aujourd'hui un vestige du passé pénitentiaire de Sydney.

**À gauche :** *à l'extrémité sud de Macquarie Street, se trouve le Sydney Mint Museum (l'hôtel de la monnaie). Fermé depuis peu, on pouvait y voir différentes expositions sur la découverte de l'or et l'évolution de la monnaie australienne.*

## LA FONTAINE D'ARCHIBALD

À la fin du XIXᵉ siècle, J.F. Archibald était le directeur de l'hebdomadaire *The Bulletin*. Il protégeait de nombreux écrivains dont « Banjo » Paterson, l'auteur de *Waltzing Matilda*. Cette fontaine commémore l'amitié entre la France et l'Australie pendant la Première Guerre mondiale. Le personnage central de cette sculpture est Apollon entouré de Diane, de Thésée et du Minotaure.

## HYDE PARK ET LES ENVIRONS

### Hyde Park ★

Hyde Park (16 ha de superficie) est l'endroit idéal pour se reposer pendant l'heure du déjeuner. Situé entre College Street et Elizabeth Street, il est traversé par Park Street. D'un côté se trouve l'**Archibald Fountain**, et du côté sud se dresse l'imposant mémorial aux soldats de la Première Guerre mondiale.

Les jardins de Hyde Park sont paysagers, mais le passage des promeneurs détériore les pelouses. Seuls, blottis autour des arbres, les massifs de fleurs sont indemnes.

Le **War Memorial**, de 30 m de hauteur, domine le **Pool of Remembrance**, un grand bassin rectangulaire. À l'intérieur du bâtiment se trouve une salle du souvenir et un hall où l'on doit observer le silence. Ce monument est ouvert tous les jours. Au sous-sol, on peut visiter une exposition de photos ayant pour thème les Australiens à la guerre.

### St Andrews Anglican Church ★

La pierre de fondation de la plus vieille cathédrale d'Australie fut posée en 1819 et les plans de cet édifice néo-gothique ont été dessinés par l'architecte Francis Greenway, un ancien bagnard. Un manque de crédit empêcha sa construction et, en 1837, Edward Blacket élabora de nouveaux plans. Le 30 novembre 1868, à l'occasion de la St Andrews, la cathédrale célébra son premier office.

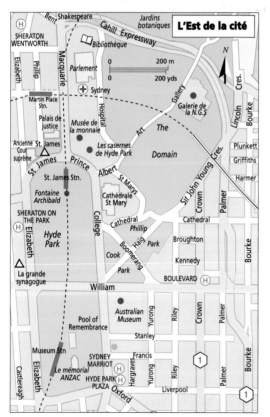

### St Mary's Roman Catholic Cathedral *

St Mary, située à l'est de Hyde Park, est une cathédrale néo-gothique dont la première pierre fut posée en 1868. Elle se dresse sur le site d'une ancienne église construite en 1821, la « Church of the Blessed Virgin Mary ». Les deux flèches de St Mary, prévues sur son plan initial, n'ont jamais été achevées. Elle est fréquentée par l'importante communauté catholique de Sydney.

**Ci-dessus :** *St Mary's Roman Catholic Cathedral se situe en face de Hyde Park.*

### LE QUARTIER DES AFFAIRES

Le centre des affaires est planté de nombreux immeubles modernes qui abritent des bureaux, des grands magasins (David Jones et Grace Brothers) et des boutiques de mode. On trouve aussi des galeries d'art et des boutiques de souvenirs. **New Guinea Primitive Arts,** Queen Victoria Building, offre une grande variété d'objets tribaux (tél. : (02) 9267-5134). **Goodwood Saddlery and Outback Store,** 237 Broadway, propose des vêtements typiquement australiens tels que des chapeaux Akubra, des bottes R.M. Williams et des Drizabones (des imperméables en toile enduite) (tél. : (02) 9660-6788). **Australian Wine Centre,** Goldfields House à Circular Quay, est un spécialiste des vins australiens. Vous aurez un choix de plus d'un millier de crus différents (tél. : (02) 9247-2755). **Strand Hatters,** Strand Arcade, 412 George Street, offre une très grande variété de chapeaux, un accessoire très précieux dans ce pays où le soleil est très fort (tél. : (02) 9231-6884).

Le centre dispose de quelques magasins d'alimentation, mais il est surtout réservé aux boutiques de mode et aux magasins spécialisés. Pour les courses quotidiennes, il est préférable d'aller dans les centres commerciaux situés dans les banlieues. Marchander n'est pas vraiment dans l'esprit australien, mais il vaut mieux comparer les prix, car ils peuvent varier d'un magasin à l'autre.

---

**RESTAURANTS DANS LE CENTRE**

Les restaurants sont aussi nombreux qu'excellents. En voici quelques-uns :
• **Daniel's Steakhouse,** 1 Bent Street, tél. : (02) 9251-6977. Il a ses habitués, qui le considèrent comme le meilleur grill-room de la ville.
• **Bilsons,** à l'ouest de Circular Quay, tél. : (02) 9251-5600. Selon certains gastronomes professionnels, c'est l'un des dix meilleurs restaurants de l'État.
• **Edna's Table,** Martin Place, tél. : (02) 9231-1400. C'est l'endroit rêvé pour goûter l'authentique cuisine australienne. On peut y manger des steaks de kangourou, de l'émeu fumé, du pâté de kangourou et des huîtres de Tasmanie.

**Ci-dessus :** *malgré la construction intensive des gratte-ciel et des immeubles modernes, il reste encore quelques bâtiments du XIX<sup>e</sup> siècle. Le QVB (Queen Victoria Building) et Strand Arcade font partie de ces élégants vestiges.*

### Queen Victoria Building **

Pierre Cardin l'a baptisé « le plus beau centre commercial du monde ». Cet édifice, construit en 1898, ressemble à un palais byzantin. Il est resté à l'abandon pendant très longtemps. Sa restauration coûta 75 millions de $A. En 1982, le centre de la mode fut ouvert au public. On y trouve de nombreuses boutiques de cadeaux ainsi qu'une grande variété de mets à emporter. Pour tous renseignements, appelez le (02) 9264-9209.

### Centrepoint Tower ***

Située au-dessus du centre commercial Centrepoint, 100 Market Street, la tour est ouverte toute la journée et le soir. Sa galerie panoramique offre une vue magnifique du centre de la ville, de la baie et du Pacifique, des Blue Mountains à l'ouest, de Botany Bay au sud, et du Royal National Park. Pour tous renseignements, appelez le (02) 9229-7444. Vous pouvez aussi réserver une table au **Sydney Tower Restaurant** (tél. : (02) 9233-3722). Il s'étend sur deux niveaux et propose le choix entre un menu à la carte et un buffet.

### Achats hors taxes

La vie est de loin meilleur marché en Australie que dans la plupart des autres pays. Une chambre dans un hôtel cinq étoiles coûte moitié moins cher qu'en Europe. Les boutiques d'articles détaxés à l'aéroport et dans le centre-ville sont très nombreuses. Il vous suffit de présenter votre billet d'avion ou de bateau pour bénéficier de ces prix intéressants. Mais il vous est alors impossible de déballer vos articles avant de franchir la douane australienne. Vous économisez le montant de la TVA du pays (de 10 % à 25 % suivant les articles).

---

**CE QU'IL FAUT VOIR AU QVB**

Le **Queen Victoria Building** est un centre commercial et un bel édifice à visiter. Vous pourrez y voir :

• **Wishing Well,** un bassin dans lequel on jette des pièces en faisant un vœu. Il est surmonté d'une statue d'Islay, le chien préféré de la reine Victoria.

• **Royal Clock,** une grande horloge qui carillonne toutes les heures. Elle se situe au dernier étage.

• Les reproductions des joyaux de la Couronne, les **Crown Jewels,** au dernier étage.

• Le dôme en cristal, fait à la main à partir de vitraux d'église.

## LES MUSÉES

### Australian Museum **

Ce musée d'histoire naturelle, le plus grand du continent, est situé près de Hyde Park. C'est aussi le plus ancien musée d'Australie. Il abrite une grande collection de flore et de faune australienne et possède plus de 8 millions d'objets. Il existe une section consacrée à la culture aborigène, qui décrit l'histoire de ce peuple depuis des milliers d'années. Par ailleurs, on peut y voir des expositions ayant pour thème l'écologie (*Dreamtime to Dust*) ou l'espace (*Discovery Space*) présentées de manière interactive.

Le musée comprend un restaurant et une boutique qui vend des articles artisanaux et des livres d'histoire naturelle. Il est ouvert tous les jours de 9 h 30 à 17 h. Pour tous renseignements à propos des expositions temporaires, appelez le : (02) 9320-6000.

### Powerhouse Museum **

Ce musée de la technologie, des sciences et des arts, situé derrière Darling Harbour, est passionnant. On peut y admirer le premier train à vapeur de l'État et la locomotive Boulton and Watt qui date de 1780. Par ailleurs, le musée expose des meubles, des vêtements, des avions et toutes sortes de machines du siècle dernier. On y apprend le fonctionnement de la célèbre horloge de Strasbourg. La section réservée aux enfants est très dynamique, elle présente des techniques modernes de façon interactive. Le restaurant a été dessiné par Ken Done, un artiste australien réputé.

Le musée abrite aussi des costumes, une collection de porcelaines Wedgewood et des meubles dessinés par Thomas Hope. La section de la technologie spatiale expose des pièces provenant des programmes spatiaux américains, russes et chinois.

---

**LES MUSÉES DE LA CITÉ**

• **Australian Museum,** 6 College Street, East Sydney, tél. : (02) 9320-6000. Ouvert de 9 h 30 à 17 h tous les jours.
• **Australian National Maritime Museum,** Pyrmont Bridge, Darling Harbour, tél. : (02) 9552-7500. Ouvert de 9 h 30 à 17 h tous les jours.
• **Hyde Park Barracks Museum,** Queen Square, Macquarie Street, tél. : (02) 9223-8922. Ouvert de 10 h à 17 h tous les jours.
• **Powerhouse Museum,** 500 Harris Street, Ultimo, tél. : (02) 9217-0111. Ouvert de 10 h à 17 h tous les jours.
• **Sydney Observatory,** Watson Road, The Rocks, tél. : (02) 9217-0485. Ouvert tous les jours de 10 h à 17 h ; les soirs, on peut visiter sur réservation.

**Ci-dessous :** *le Powerhouse Museum se situe à la limite de Darling Harbour.*

**Ci-dessous :** *le Museum of Contemporary Art, près de Circular Quay.*

### Australian National Maritime Museum ★★

Au nord de Darling Harbour se trouve l'Australian National Maritime Museum (le musée de la marine). Ce musée retrace les liens étroits que les Australiens ont entretenus avec la mer. Six thèmes se partagent son immense collection : la découverte du continent, les longs voyages en mer, la valeur commerciale de la mer, la mer et les loisirs, la marine australienne (on peut monter à bord d'un destroyer), et les échanges entre l'Australie et les États-Unis à travers le Pacifique. De nombreuses expositions temporaires sont organisées tout au long de l'année. Le musée est ouvert tous les jours de 10 h à 17 h. Contactez le (02) 9552-7777.

### Museum of Contemporary Art ★★

Ce musée, situé dans l'ancien bâtiment des douanes à l'ouest de Circular Quay, offre une large sélection internationale d'art contemporain. La collection comprend, entre autres, des œuvres de Roy Lichtenstein *(Crying Girl)* et de Robert Indiana *(Love)*. C'est aussi un centre culturel où l'on peut se documenter, assister à des projections de films et à des concerts.

Le restaurant du centre est excellent et ses prix sont raisonnables. On y apprécie une belle vue du port et de la baie, des ferries qui vont et viennent. Il est ouvert de 11 h à 17 h du lundi au vendredi, et de 9 h à 17 h le samedi et le dimanche. Pour tous renseignements, contactez le (02) 9252-4033.

### DARLING HARBOUR ★★

Darling Harbour rappelle Fisherman's Wharf à San Francisco. C'est un grand complexe réunissant des hôtels, des musées, des boutiques, des restaurants, des fast-foods, situé au bord d'une baie immense.

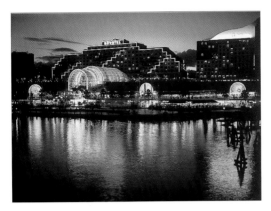

*À gauche : depuis la fin des années 1980, Darling Harbour est un endroit très touristique, avec de grands hôtels, des centres de conférence, des restaurants de qualité et un complexe commercial.*

## Circuler sur le Darling Harbour

Le monorail suscita de nombreuses controverses. Il circule entre Darling Harbour (quatre arrêts) et le centre-ville. C'est un moyen bon marché et efficace de visiter le port. Si vous l'empruntez plus de deux fois, achetez un billet valable une journée (*Monorail Day Pass*).

Du côté nord de Darling Harbour, près de l'aquarium, un service de ferries relie Balmain, McMahons Point et Circular Quay toutes les 30 mn. Le trajet est très agréable, vous contournez l'opéra et The Rocks.

Le « Visitors Centre » tient à votre disposition des plans et vous donne des renseignements et des conseils pour vous familiariser avec Darling Harbour. Il est ouvert de 9 h à 17 h tous les jours, tél. : (02) 9286-0111.

## Distractions

Sydney est réputée pour ses excellents restaurants de fruits de mer. **Jordan's**, à Darling Harbour, vous donne la possibilité de déguster un grand choix de fruits de mer pendant que vous admirez la vue sur les bateaux dans le port. Il existe aussi un centre de restauration rapide dans le complexe commercial au cas où vous seriez pressé.

Darling Harbour est connu pour ses distractions gratuites. Le week-end, et parfois en semaine, vous pouvez assister à de nombreux spectacles dans Tumbalong Park ou à Cockle Bay.

### LE DARLING HARBOUR SUPER TICKET

Les voyageurs à la recherche d'une bonne affaire devraient se procurer ce billet. Valable pendant trois mois, il donne droit à une entrée au **Chinese Garden** et à l'**Aquarium**, une croisière dans la baie avec la **Matilda Harbour Express Cruise**, un circuit en monorail, 15 % de réduction sur le billet d'entrée à l'**Australian National Maritime Museum**, 2 \$A de réduction sur le billet d'entrée au P**owerhouse Museum**, un tarif préférentiel pour une promenade dans le People Mover (train sans rails), et un repas au **Shark Bite Cafe** (Sydney Aquarium). Le billet est vendu à un prix raisonnable : 29,90 \$A (adulte), et 19,50 \$A (enfant de 3 à 15 ans).

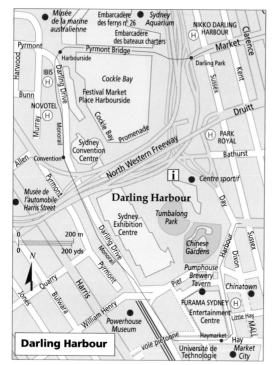

**Darling Harbour**

## Aquarium de Sydney ★★★

L'aquarium de Sydney (ouvert de 9 h 30 à 21 h) présente une grande variété d'espèces représentatives de la faune aquatique indigène. On peut y voir des crocodiles, des phoques et des requins, des raies et de nombreux poissons qui vivent dans la baie de Sydney. Dans un bassin, les visiteurs peuvent s'approcher des crustacés et des mollusques qui habitent près des côtes. Tél. : (02) 9262-2300.

Darling Harbour possède d'excellents hôtels (hôtel Nikko, Novotel, Parkroyal, Ibis et Furama). Ils sont tous facilement accessibles du centre-ville en monorail, en taxi ou simplement à pied.

## CHINATOWN ★★

Au sud-est de Darling Harbour, se trouve le Chinatown de Sydney. La communauté immigrée chinoise s'est installée en Australie dans les années 1850, pendant la ruée vers l'or. Malgré les préjugés raciaux auxquels ils devaient faire face, ceux qui décidèrent de rester se dispersèrent dans diverses régions du continent. En 1871, 54 villes et 75 régions rurales comptaient une population chinoise d'au moins 10 personnes.

Aujourd'hui, Chinatown est un centre important pour les Australiens d'origine chinoise, pour les étudiants et les immigrés du Sud-Est asiatique (Vietnam, Cambodge, Laos...) qui se sont réfugiés en Australie en grand nombre pendant ces dix dernières années.

## Dixon Street **

Dixon Street est la rue principale de Chinatown. C'est un petit coin d'Asie en Australie. Le visiteur peut y apprécier toute une gamme de restaurants qui proposent une cuisine vietnamienne, thaïlandaise, ou originaire de diverses régions de Chine. Certains, très luxueux, servent une cuisine de qualité. Ils sont équipés d'une piste de danse et d'une scène de spectacle. D'autres font partie d'un complexe de restauration rapide et leurs prix sont très raisonnables. La plupart des *Sydneysiders* ont leur restaurant préféré, mais leur choix est plus fondé sur un rapport personnel avec l'équipe du restaurant que sur un critère gastronomique.

## Chinese Gardens **

Situés au nord de Chinatown et au sud de Darling Harbour, ces jardins sont le symbole de la participation de la communauté chinoise à la vie culturelle australienne. Construits selon une tradition qui date du $V^e$ siècle, ce sont les plus grands jardins de ce genre hors de Chine. Les montagnes miniatures, les lacs, les cascades, les forêts et les fleurs donnent au paysage toute sa sérénité. Chaque point de vue recrée pour le visiteur un coin de Chine en miniature. Ils sont ouverts de 9 h 30 au coucher du soleil.

**À gauche :** *les Chinese Gardens sont situés au sud de Darling Harbour et au nord de Chinatown. C'est un endroit très reposant, qui contraste avec l'animation du centre-ville. Ils ont été dessinés d'après les jardins paysagers chinois du $V^e$ siècle.*

# 3
# À la découverte des quartiers

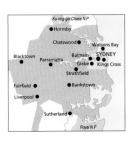

Comme la plupart des villes importantes, l'agglomération de Sydney comprend un centre des affaires où peu de gens habitent, des quartiers résidentiels périphériques mais assez proches du centre, et des banlieues éloignées. Les habitants de la proche périphérie bénéficient des nombreuses activités offertes par la cité. Ils vivent dans des appartements ou des maisons mitoyennes, des *terrace houses*. La plupart sont d'anciennes maisons d'ouvriers, qui ont été modernisées. Elles ne sont pas toujours agrémentées d'un jardinet et on n'y vit à peu de distance du voisin. Parmi ces quartiers à population dense se trouvent Kings Cross, Potts Point, Elizabeth Bay, Paddington, Surry Hills, Darlinghurst, Glebe, Newtown, Rozelle et Balmain.

## KINGS CROSS *

Le Pigalle de Sydney, Kings Cross est le plus « fameux » des quartiers de la proche banlieue faisant partie de la ville. À partir des années 1930, Kings Cross était fréquenté par une communauté de marginaux. Dans les années 1960, « the Cross » est devenue quartier hétéroclite où les hôtels de luxe et les grands restaurants étaient environnés de boîtes de strip-tease et de night-clubs.

D'après les *Sydneysiders,* ce changement correspondrait au passage des soldats américains pendant la guerre du Vietnam quand ils venaient passer leurs jours de permission en Australie. L'argent qu'ils dépensaient à outrance dans cette zone a contribué à sa dépravation et à développer le commerce du plaisir tout en répandant la corruption.

### CURIOSITÉS

**\*\*\* Paddo Bazaar :** 395 Oxford Street, Paddington. C'est l'un des marchés les plus pittoresques de Sydney. Il est ouvert le samedi.
**\*\* Oxford Street :** cette rue attire une faune de noctambules dans les pubs et les restaurants qui la bordent.
**\*\* Gleebooks :** 191 Glebe Point Road. En 1995, cette librairie a été sélectionnée « meilleure librairie d'Australie ».
**\* Macleay Street,** Kings Cross : la vie nocturne y est trépidante.
**\* Queen Street,** Woollahra : une rue très chic.

**Ci-contre :** *une vue des faubourgs où l'on peut continuer à vivre au rythme du centre de Sydney.*

Aujourd'hui, le Cross est resté une attraction touristique grâce à ses hôtels et à ses restaurants. Toutefois, il a gardé sa réputation de centre de la pornographie, de la prostitution et de la drogue. En dehors de ce quartier malfamé, Sydney est une ville où l'on peut circuler à n'importe quelle heure du jour et de la nuit sans se sentir menacé. Le Cross est un endroit très agréable pendant la journée. Il est jalonné de cafés italiens et de snacks. Les rues sont bordées de grands arbres, les places sont ombragées, et la fontaine El Alamein dans le Fitzroy Garden est un point de repère très plaisant. À Victoria Street, au sud du tunnel de Kings Cross, se sont ouverts

## RESTAURATION À KINGS CROSS

Ce quartier est réputé pour ses excellents restaurants. Comme partout, la meilleure façon de découvrir est de se promener, regarder et entrer, mais néanmoins, voici quelques adresses parmi les plus connues :
• **Bayswater Brasserie,**
32 Bayswater Road,
tél. : (02) 9357-2177.
Une brasserie très appréciée au cœur du quartier de Kings Cross.
• **Darley Street Thai,**
28-30 Bayswater Road,
tél. : (02) 9358-6530.
La fameuse cuisine thaïlandaise y est fraîche et succulente.
• **Mezzaluna,** 123 Victoria Street, tél. : (02) 9357-1988. Cet agréable restaurant italien propose une cuisine nouvelle très raffinée.

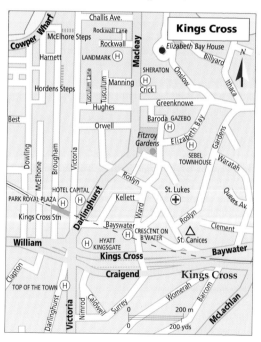

plusieurs cafés et restaurants où l'on sert les meilleurs cafés de Sydney.

Kings Cross est aussi le centre des voyageurs, qui ont à leur disposition le plus grand choix d'auberges de toutes les villes australiennes. Certaines ont opté pour des prix très raisonnables. Les panneaux d'affichage de leurs réceptions sont couverts de petites annonces à consulter pour des voyages bon marché, des chambres à louer, etc.

Vous trouverez, dans ce quartier, de nombreuses boutiques de souvenirs typiquement australiens.

## Oxford Street ★★

Cette rue part de Hyde Park et passe par Surry Hills, Darlinghurst et Paddington. Elle est bordée d'hôtels, de night-clubs, de restaurants, de librairies ouvertes très tard dans la soirée, de cinémas et de cafés. La vie nocturne y est très active, et l'ambiance est semblable à celle de Kings Cross avant les années 1960.

Oxford Street a longtemps été considérée comme le cœur de la communauté homosexuelle de la ville. Il y a une dizaine d'années, l'**Exchange** et l'**Albury** étaient des pubs exclusivement gays. On ne pouvait compter le nombre de bars très sombres, de night-clubs qui diffusaient une musique tonitruante. Dans la rue, on croisait des hommes musclés, heureux de montrer leur corps, arborant moustache et petite coupe de cheveux très sophistiquée. Peu à peu, ce quartier a attiré une clientèle beaucoup plus vaste, ce qui a, sans doute, contribué au déclin de Kings Cross. Oxford Street, aujourd'hui, est le centre de tous les noctambules à l'affût d'émotions piquantes.

Entre Hyde Park et Taylor Square se trouvent une multitude de bars et de clubs ainsi que des restaurants de qualité.

**Kinselas,** à Taylor Square, était autrefois un salon funé-

**Page ci-contre :** *Kings Cross s'étend à l'est du quartier central des affaires. Jusqu'à la construction du tunnel, ce faubourg se trouvait en haut de la colline de William Street.*

**Ci-dessous :** *Kings Cross est célèbre pour être le centre de la vie nocturne de Sydney. On y trouve un mélange de night-clubs, de bars, de fast-foods, d'excellents restaurants et d'hôtels de luxe.*

### RESTAURATION À OXFORD

Il existe une grande diversité de restaurants le long de cette rue. Voici les plus réputés :
- **Claude's,** 10 Oxford Street, Woollahra, tél. : (02) 9331-2325. C'est un excellent restaurant français.
- **Paddington Inn Bistro,** 338 Oxford Street, Paddington, tél. : (02) 9361-4402. Sa cuisine originale fait de ce bistro un endroit très fréquenté.
- **Grand Pacific Blue Room,** au coin de South Dowling Street et d'Oxford Street, Darlinghurst, tél. : (02) 9331-7108. On y savoure un mélange de cuisine asiatique et méditerranéenne dans une ambiance de club.
- **Nelson Bistro,** 232 Oxford Street, Woollahra, tél. : (02) 9389-1442. Il est célèbre pour son excellente cuisine.

raire. C'est l'un des endroits les plus originaux de Sydney. On y présente des spectacles internationaux et des prestations de toutes sortes. Certains soirs sont réservés aux lesbiennes. Au rez-de-chaussée, se trouve un bar dont la décoration est typiquement australienne. On peut y entendre des groupes de musiciens presque tous les soirs. Au premier étage, l'ambiance est beaucoup plus calme dans le grand salon confortable où l'on peut déguster d'excellents cocktails. À l'étage supérieur, l'ancienne salle d'embaumement est devenue un cabaret où l'on peut écouter des humoristes, des chanteurs et assister à des spectacles de cabaret.

Après Taylor Square, Oxford Street devient le quartier des restaurants de tous les pays. Depuis les années 1960, les restaurants balkans ont toujours le même succès. Des restaurants indiens, thaïlandais, italiens, indonésiens se sont installés les uns à côté des autres et le choix est toujours très difficile à faire, car ils sont tous de très bonne qualité.

Plus bas, se trouvent deux cinémas d'art, l'**Academy Twin** et le **Verona**. Ils projettent tous deux des films étrangers en version originale. En face, l'**Ariel Bookshop** reste ouverte très tard dans la soirée. C'est l'une des meilleures librairies de Sydney et, très souvent, elle accueille des auteurs pour le lancement de leurs livres. **Berkelouw Books** est une librairie spécialisée dans les livres d'occasion. Au premier étage se trouve un café.

En montant vers le **Royal Women's Hospital** et le **Paddington Townhall** (qui abrite le cinéma **Chauvel**), on arrive vers une autre section très animée. La **New Edition Bookshop** est une librairie très bien achalandée et **Juniper Hall,** en face de l'Hôtel de ville, est un endroit à photographier.

Oxford Street est vivante de jour comme de nuit.

## PADDINGTON **

Située à 3 km au sud-est du centre-ville, Paddington est certainement l'endroit le plus branché de tout Sydney. À partir des années 1960, artistes, journalistes, publicistes, une véritable faune d'intellectuels et tous ceux qui se considéraient branchés, commencèrent à s'y installer, transformant peu à peu cet ancien quartier ouvrier en une banlieue huppée et très chère.

La proximité de banlieues très riches telles que Double Bay, Woollahra et Point Piper a contribué à cette métamorphose. Par ailleurs, des rues comme **Jersey Road** et **Queen Street** sont bordées de très belles *terrace houses* du XIXᵉ siècle.

Des galeries d'art, des restaurants, des librairies, des cafés et des pubs se sont multipliés ces dernières années et constituent l'attraction de Paddington. Commencez la découverte du quartier en vous promenant dans Oxford Street depuis Town Hall et continuez vers les boutiques de disques et les librairies. Arrêtez-vous à la **New Edition Bookshop** pour regarder son choix de livres.

Vous partirez ensuite à la découverte des petites rues adjacentes qui ne suivent pas le quadrillage traditionnel des autres banlieues. Elles descendent vers la baie en serpentant le long de cette colline verdoyante. Vous entrerez dans de très belles boutiques d'antiquités, des galeries d'art, des confiseries, des boutiques d'artisanat et admirerez des *terrace houses* magnifiquement restaurées et des jardins plantés de jacarandas et de toutes sortes de fleurs exotiques.

### Victoria Barracks **

Les soldats qui travaillèrent à la construction de ces casernes étaient les premiers habitants de Paddington dans les années 1840 et 1850. Entre 1860 et 1890, près de 4 000 maisons furent construites pour loger les ouvriers près du chantier de construction, des magasins et des pubs s'ouvrirent afin de satisfaire les besoins de cette communauté.

*Ci-dessus : Oxford Street, la rue principale de Paddington, est un très bon spécimen d'artère commerciale, avec ses marchands de fruits et de légumes, ses « delicatessen » et ses petits supermarchés qui côtoient les galeries d'art, les boutiques de mode, les librairies et les cafés branchés.*
**Page ci-contre :** *à Darlinghurst, Oxford Street est le centre de la communauté homosexuelle. La vie nocturne y est très animée : les boutiques pour gays, les clubs et les bars s'illuminent alors que, dans la journée, cette large rue reprend un aspect plus neutre.*

*Ci-dessus : les rues de Paddington sont parées de superbes « terrace houses » du XIXᵉ siècle.*

### Juniper Hall *

C'est la plus ancienne maison de cette banlieue (1822). Elle se situe sur Oxford Street, en face de **Paddington Town Hall.** Juniper Hall tient son nom de la baie de genièvre (*juniper*, en anglais), dont on se servait pour fabriquer du gin dans une usine au bas de la colline de Paddington. Elle fut restaurée par le National Trust, dans les années 1980, et pour lui donner une nouvelle respectabilité, on changea son nom en « Ormond House ». Elle abrite aujourd'hui une entreprise privée, mais continue à attirer des regards admiratifs et fait le bonheur des amateurs de photographie.

### Paddington Markets ***

Le « Paddo Bazaar » a lieu tous les samedis de 10 h à 17 h, 396 Oxford Street. On y trouve des objets artisanaux, des vêtements faits à la main, des bijoux, des objets de brocante. Dans le grand hall, on peut déguster des produits naturels, des jus de fruits frais et des spécialités diverses. Ouvert depuis le milieu des années 1970, il s'est développé pour devenir une des attractions touristiques de Sydney.

### Galeries **

Paddington est devenue un centre artistique très important. Une trentaine de galeries exposent des œuvres d'artistes australiens réputés. **Australian Galleries** est l'une des plus renommées (tél. : (02) 9360-5177). On peut y acheter des œuvres contemporaines, des livres d'art et des ouvrages à tirage limité. **Barry Stern Galleries** (tél. : (02) 9331-4676) vend des peintures australiennes et organise des expositions. **Christopher Day Gallery** (tél. : (02) 9326-1952) propose des œuvres australiennes traditionnelles et contemporaines.

---

**AUTOBUS ROUGES ET BLEUS**

Pour explorer Sydney et les banlieues de l'Est, le mieux est d'acheter une carte qui vous permettra de circuler plus librement. Le **Sydney Explorer,** rouge, fait un circuit de 35 km et s'arrête à 22 endroits historiques ainsi qu'à de nombreux points de vue de la baie. Il part du centre-ville, passe par Kings Cross, Darling Harbour, et traverse le pont vers North Sydney. Tél. : 13-1500. Le **Bondi & Bay Explorer,** bleu, s'arrête à 20 endroits. Il part du centre-ville et parcourt les banlieues de l'Est jusqu'à Watsons Bay. Puis il longe la côte pour rejoindre Bondi et descend jusqu'à Coogee. Il revient vers le centre-ville en passant par Randwick et Centennial Park. Tél. : 13-1500.

**À gauche :** *situé en haut d'Oxford Street, le marché de Paddington attire tous les amateurs d'objets artisanaux.*

**Coo-ee Aboriginal Art** (tél. : (02) 9332-1544) offre une grande variété d'objets aborigènes, de tissus, de livres et d'affiches, ainsi que des peintures, des sculptures et des ouvrages produits par des artistes traditionnels et urbains. **Hogarth Galleries/Aboriginal Art Centre** (tél. : (02) 9360-6839) possède une vaste collection d'art aborigène traditionnel et urbain. **Rex Irwin Art Dealer** (tél. : (02) 9363-3212) propose un nombre important d'œuvres contemporaines australiennes et européennes. **Roslyn Oxley Gallery** (tél. : (02) 9331-1919) passe pour une des meilleures galeries d'art contemporain. **Sherman Galleries** (tél. : (02) 9360-5566) expose des sculptures à l'extérieur et possède aussi une belle collection d'art contemporain international et australien. **Watters Gallery** (tél. : (02) 9331-2556) est renommée pour ses expositions d'art contemporain australien.

**Ci-dessous :** *Paddington est fière de ses galeries d'art et de ses pubs. En descendant une rue adjacente à Oxford Street, on arrive à Five Ways, un petit centre commercial, ainsi qu'au Royal Hotel.*

### Shopping et restauration
Paddington offre une grande gamme de restaurants, de brasseries, de pubs et de cafés tout au long d'Oxford Street.

L'ambiance y est très détendue et s'il est en général préférable de réserver dans les restaurants, ceux-ci ont un côté informel et sont habitués à accueillir tous les passants, à tel point que certains établissements refusent même de prendre des réservations.

## RESTAURATION À PADDINGTON

Paddington est renommée pour ses restaurants, en particulier pour la cuisine italienne.
• **Darcy's,** 92 Hargreaves Street, tél. : (02) 9363-3706. Il est fréquenté par les plus gourmets des *Sydneysiders.*
• **Lucio's,** 47 Windsor Street, tél. : (02) 9830-5996. Il prépare une remarquable cuisine du nord de l'Italie.
• **Four in Hand,** 105 Sutherland Street, tél. : (02) 9326-2254. Le service est parfait et la « cuisine bistro » est sa spécialité.
• **Il Tratto-ra-ro,** 10 Elizabeth Street, tél. : (02) 9331-2962. Il sert une cuisine italienne superbe dans un joli décor.

Les restaurants sont très fréquentés en général et il faut parfois attendre une quinzaine de minutes pour avoir une table. On trouve d'excellents restaurants végétariens, des restaurants espagnols, thaïlandais, italiens, et des cafés très sympathiques.

En haut d'Oxford Street, des magasins de mode vendent des vêtements très originaux à des prix raisonnables. Les boutiques de designers sont un peu plus chères.

### NEWTOWN

Cette banlieue a beaucoup changé ces trente dernières années. Dans les années 1960, Balmain et Paddington étaient les seules banlieues rénovées. Glebe, Surry Hills, Darlinghurst et Rozelle suivirent. L'une des plus récentes est Newtown. Son artère principale est typique : c'est un long ruban de petites boutiques, les unes collées aux autres, qui traverse la ville. Leichhardt (Parramatta Road) et Paddington (Oxford Street) présentent le même plan.

### King Street **

Depuis les années 1920, King Street, la rue principale de Newtown, qui fait 1 km de long, est un centre très animé et les boutiques des deux côtés de la rue ont constitué l'attraction du quartier. Un tramway en parcourait la longueur toutes les deux ou trois minutes et circulait régulièrement toute la nuit. Ce tramway n'existe plus, mais cette avenue est restée vivante et active.

**Ci-dessous :** *Oxford Street est un endroit agréable pour faire ses courses. On y trouve des gâteaux « sculptés », des boutiques de mode et de vêtements d'occasion.*

Les anciens pubs ont été rénovés et certains sont fréquentés aujourd'hui par une clientèle d'homosexuels. De nombreux restaurants se sont ouverts, offrant une cuisine variée. On trou-

*À gauche : King Street est l'une des rues les plus animées et les plus colorées de Sydney, avec ses cafés et ses restaurants qui attirent une population de marginaux.*

ve, entre autres, des restaurants népalais, indiens, africains, vietnamiens et italiens.

Cette artère commerçante est aussi un lieu de promenade. On se gare dans les petites rues adjacentes et on flâne en léchant les vitrines. Puis on entre dans la librairie **Gould's Bookshop,** où les livres s'entassent les uns sur les autres.

On peut ensuite se restaurer dans un café, après avoir jeté un coup d'œil sur le tableau noir où les menus sont inscrits à la craie.

Ceux qui aiment l'histoire et l'architecture ancienne descendront les petites rues de chaque côté de King Street, pour découvrir les anciennes *terrace houses*. Elles côtoient de splendides demeures de deux ou trois étages et, parfois également des grandes demeures de syle victorien.

## St Stephen's **

Le cœur de cette banlieue est la très belle église **St Stephen's Church of England,** dans Church Street, une rue qui part de King Street. Elle fut construite par l'un des plus grands architectes de Sydney, Edmund Blacket, qui dessina la cour carrée de l'université de Sydney.

Dans le cimetière de l'église, on peut voir la tombe de Miss Donnithorne. Elle aurait servi de modèle à Dickens, pour le personnage de Miss Havisham, dans le roman *De*

**RESTAURATION À KING STREET**

C'est le dernier endroit à la mode. Il offre une grande variété de restaurants :
• **Ban Thai,** 115-117 King Street, tél. : (02) 9519-5330. Une cuisine thaïlandaise qui plaît à toute la famille.
• **Old Saigon,** 197 King Street, tél. : (02) 9519-5931. Un mélange savoureux de cuisine thaïlandaise et vietnamienne.
• **Le Lavandou,** 143 King Street, tél. : (02) 9232-6670. Une cuisine française de qualité, servie avec beaucoup de charme.
• **Thai Pothong,** 294 King Street, tél. : (02) 9550-6277. C'est le meilleur restaurant thaïlandais de King Street.
• **Three Five Seven King,** 357 King Street : un bistrot contemporain qui propose des plats délicieux, tél. : (02) 9519-7930.

**Ci-dessus :** *situons à l'ouest de la cité, l'université de Sydney est la plus ancienne institution du secteur tertiaire. L'architecte Edmund Blacket s'inspira du plan des collèges d'Oxford et de Cambridge pour en dessiner la cour.*

*grandes espérances.* Délaissée par son fiancé le jour de ses noces, elle vécut en recluse.

### Sydney University ★★

Outre sa cour carrée centrale, qui est une version coloniale de l'architecture académique d'Oxbridge, cette université abrite des musées très intéressants.

Le **Macleay Museum** est spécialisé en zoologie, en photographie et en anthropologie. Il possède aussi des plantes séchées rapportées par Joseph Banks (qui naviga avec le capitaine Cook) et par Charles Darwin. Le musée est ouvert du lundi au vendredi de 10 h à 16 h, tél. : (02) 9351-2274. Le **Nicholson Museum of Antiquities** expose des objets de l'Antiquité grecque et égyptienne. Il est ouvert du lundi au vendredi, de 10 h à 16 h 30, tél. : (02) 9351-2812).

---

**RESTAURATION À GLEBE POINT ROAD**

Cette rue est bordée de bons restaurants :
• **Darling Mills,** 134 Glebe Point Road, tél. : (02) 9660-5666. L'élégance australienne d'une maison du début du siècle, superbement rénovée.
• **Iku Wholefood Kitchen,** 25a Glebe Point Road, tél. : (02) 9692-8720. Cuisine végétarienne préparée avec goût.
• **Flavour of India,** 142 Glebe Point Road, tél. : (02) 9692-0662. Ce restaurant, situé à un coin de rue, sert une cuisine indienne authentique.
• **Tanjore,** 34 Glebe Point Road, tél. : (02) 9660-6332. Une cuisine indienne à des prix très raisonnables.

## Glebe **

Glebe se trouve au nord de l'université de Sydney. En 1789, le gouverneur Arthur Phillip accorda ce terrain à l'Église, qui le divisa en parcelles. En 1828, ces terres avaient été vendues et appartenaient à des particuliers. Pendant la seconde moitié du XIX$^e$ siècle, de belles résidences de style victorien furent érigées dans cette zone. Mais elles ont souvent été négligées par leurs propriétaires successifs. **Toxteth House,** qui est considérée par la « Glebe Society » comme une demeure importante dans l'histoire de cette banlieue, est devenue une pension de famille avant de faire partie du patrimoine de l'école St Scholastica.

## Lyndhurst **

Cette villa, de style Régence, se situe à Darghan Street. James Bowman fit construire cette grande demeure en 1835 pour y loger sa famille. Lyndhurst accueillit ensuite une université, une pension de famille, un hôpital, puis devint un lieu de réunion pour la Free Presbyterian Church. Elle fut restaurée dans les années 1970. Aujourd'hui, elle abrite les bureaux du siège social de la NSW Historic Houses Trust (la société de préservation du patrimoine de la Nouvelle-Galles du Sud).

## Glebe Point Road **

Pour connaître l'histoire de cette banlieue, **Gleebooks** propose un guide excellent : *Historical Glebe*. La librairie est ouverte de 8 h à 21 h, tous les jours, elle est située 49 Glebe Point Road. C'est l'une des mieux documentées de Sydney. Vous aurez ainsi tous les renseignements au sujet des églises historiques et des *terrace houses* de ce quartier.

Comme Oxford Street à Paddington (*voir* illustrations p. 49), et King Street à Newtown (*voir* p. 52), **Glebe Point Road** fournit un autre exemple de ces grandes rues principales bordées de boutiques, qui traversent les banlieues. On y trouve des restaurants, des librairies, des cafés, des magasins d'antiquités et des galeries. Le **Valhalla Cinema** est spécialisé dans les films d'art et d'essai et des films cultes sont projetés régulièrement le vendredi et le samedi soir.

---

### LES MARCHÉS DU DIMANCHE

Le dimanche est un jour idéal pour explorer les marchés de Sydney :
• **Asian Noodle,** North Sydney, ouvert seulement pour le déjeuner, du 1$^{er}$ mai au 1$^{er}$ novembre, tél. : (01) 8616-380.
• **Bondi Beach Markets,** ouvert toute la journée, à Bondi Beach, tél. : (02) 9315-8988.
• **Manly Arts & Craft Market,** Manly, ouvert de 8 h à 19 h 30.
• **Opera House Forecourt Market,** devant l'opéra, ouvert de 9 h à 17 h, tél. : (01) 8286-320
• **Rozelle Market,** Darling Street, Rozelle, ouvert de 9 h à 16 h, tél. : (02) 9818-5373.
• **The Rocks Market,** George Street, The Rocks, ouvert de 10 h à 17 h.

---

**Ci-contre :** *Glebe était autrefois la propriété de l'Église anglicane, c'est maintenant une banlieue résidentielle, en même temps qu'un centre de shopping très animé.*

### LA MINE DE CHARBON DE BALMAIN

Sydney repose sur un ancien bassin houiller, qui se trouve à 1 000 m au-dessous du niveau de la mer. Il s'étend, au nord, jusqu'à Hunter Valley, près de Newcastle, et au sud, jusqu'à Wollongong. En 1897, deux puits furent creusés à Balmain, près du site de l'école de Birchgrove. On les nomma « Birthday » et « Jubilee » en l'honneur de la reine Victoria. Les mines de la baie furent exploitées jusqu'en 1931, mais la production restait insuffisante et, lorsque surgirent des problèmes concernant la sécurité des mineurs, on décida de les fermer.

## BALMAIN ★★★

**Balmain** et **Birchgrove** se situent derrière Glebe. Comme Paddington, ces banlieues étaient, à l'origine, habitées par des ouvriers. Le changement de population a commencé dans les années 1960. Aujourd'hui, les habitants de ces banlieues sont essentiellement des acteurs, des musiciens, des écrivains, des artistes et des publicistes très fortunés, qui possèdent des maisons qui valent plus d'1 million de $A, situées au bord de la baie. Ils bénéficient à la fois de la proximité du centre-ville et de la tranquillité de la banlieue.

La rue principale, **Darling Street,** est jalonnée de « delicatessens » (épiceries), de restaurants, de galeries, de librairies, et de boutiques proposant des produits de luxe.

Il est difficile, de nos jours, d'imaginer que Balmain ait été autrefois une banlieue industrielle. Le guide *Around Balmain,* publié par « The Balmain Association » indique que les docks (Mort's Dock) furent ouverts en 1850. Les années suivantes, des usines vinrent s'établir dans cette zone (Booth's Steam Sawmill, Austin Soap Works, Union Box Company, Elliott Brothers, Chemical Works et Hutchinson's Candle Factory).

Le meilleur moment pour visiter Balmain est le samedi, le jour du marché. **Balmain Market** se situe sur Darling Street, juste avant la descente vers la baie. Il est ouvert de 9 h à 16 h. Pour tous renseignements, appelez le (04) 1876-5736.

**Ci-dessous :** *treize îles parsèment la baie de Sydney. Chacune a sa particularité.*

## LES ÎLES DE LA BAIE **

Les treize îles éparpillées dans la baie de Sydney ont chacune leur histoire et leur caractère. L'**île Goat** ne fait pas plus de 5,5 ha de superficie. Au siècle dernier, on allait y extraire les pierres de grès pour construire les premières résidences du centre-ville. L'**île Cockatoo** servait de dock de carénage. Dans les années 1920, c'était le plus grand dock du monde.

Certaines îles sont interdites au public, comme l'**île Glebe,** qui sert d'entrepôt à conteneurs, ou l'**île Garden,** une base navale. Mais les îles **Goat, Shark, Cockatoo, Clarke** et **Fort Denison** sont accessibles par ferries.

### Fort Denison **

L'île la plus facile d'accès et la plus visitée est **Fort Denison.** On l'appelle aussi « Pinchgut » ou « Rock Island ». À l'origine de la colonie, on y envoyait les bagnards les plus récalcitrants.

Un rapport, datant du 11 février 1788, mentionne le nom d'un forçat, Thomas Hill, qui fut condamné à être enchaîné pendant deux semaines, sur « cette petite île

> ### LES ÎLES DE LA BAIE DE SYDNEY
>
> Parmi les treize îles de la baie, six ont été nommées d'après des personnalités. Parmi les autres, on trouve des noms comme l'île de la Chèvre ou l'île du requin. L'île Clarke par exemple porte le nom d'un lieutenant, Ralph Clarke, qui arriva à Sydney avec la Première Flotte ; il fit cultiver un jardin sur cette petite île. L'île Shark ne doit pas son nom aux requins qui circulent dans le port, mais à sa forme qui ressemble à un requin. Le capitaine Thunderbolt, un ancien forçat, bravant les eaux dangereuses de la baie, s'échappa de l'île Cockatoo.

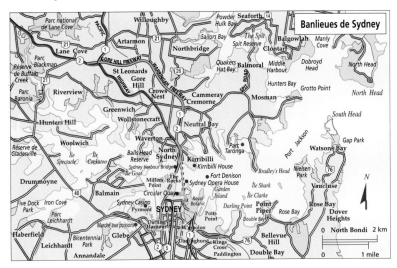

**Ci-dessus :** *on peut aller en ferry du centre-ville jusqu'à Birchgrove ou prendre un bus.*

rocheuse toute blanche, au large de Sydney Cove ». En 1796, on y avait construit un gibet où l'on exécutait les forçats. On les laissait suspendus jusqu'à ce que leurs os soient blanchis par le soleil.

En 1857, l'île fut transformée en forteresse, pour protéger Sydney d'une éventuelle invasion. On y plaça de nombreux canons que l'on tire aujourd'hui lors des cérémonies officielles ou pour célébrer un événement. Cette île fait partie des lieux historiques importants de Sydney. Elle offre aussi d'admirables points de vues de la ville et des côtes qui bordent la baie.

Des visites guidées sont organisées tous les jours à 12 h et 14 h. Elles partent de Circular Quay. Tél. : (02) 9555-9844.

### Croisières sur la baie ★★★

Trente croisières sont disponibles pour visiter la baie de Sydney. Elles sont très variées, et la concurrence permet de trouver des prix intéressants. La visite de cette grande ville ne peut être complète sans une croisière sur le port.

Toutes les croisières partent de Circular Quay et de Darling Harbour, de 9 h 30 jusqu'à 17 h. La dernière se termine à 22 h 30. Elles varient de la simple traversée à la croisière de luxe, avec déjeuner ou dîner compris. Vous avez à votre disposition des ferries, des catamarans, des hydrofoils, des bateaux à vapeur, une goélette de 1902, « la Solway Lass », et une copie du *Bounty* que l'on construisit pour le tournage du film de Mel Gibson, *Les Mutinés du Bounty*.

La gamme des tours proposés va de la simple visite du port jusqu'aux croisières agrémentées d'un déjeuner ou d'un dîner, d'un spectacle de Dixieland, d'une soirée de cabaret ou d'un dîner dansant. Les mets que l'on vous sert à bord vont de la simple collation aux plats cuisinés japonais et asiatiques. Il est facile de trouver une option qui puisse vous satisfaire.

Pour vos réservations, il est préférable de contacter **Australian Travel Specialists**, Jetty 6 à Circular Quay (ouvert de 8 h à 18 h 30), ou Shop 208 à Manly Wharf (ouvert de 10 h à 18 h). Toutes les grandes compagnies de croisières ont des agents qui ne prennent aucune commission. Ces deux endroits sont ouverts sept jours sur sept, tél. : (02) 9247-5151.

## Croisières sur la Parramatta ***

La plupart des ferries circulent d'une rive de la baie à une autre. Le RiverCat vous propose un circuit un peu différent. Il vous emmène de Circular Quay jusqu'à Parramatta, et il remonte ensuite la rivière. C'est un voyage que faisaient souvent les premiers colons, car les routes, à cette époque, étaient très mauvaises. Cette croisière est beaucoup moins fréquentée pendant la semaine.

Matilda Cruise organise aussi un voyage attirant, avec petit-déjeuner et déjeuner. Pour plus de renseignements, tél. : (02) 9264-7377.

Pour obtenir les horaires du RiverCat et faire vos réservations, appelez le Parramatta Visitors Centre (tél. : (02) 9630-3703) ou le State Transit Infoline (tél. : 13-1500, l'appel est gratuit). Le billet de bus et de train valable trois, cinq ou sept jours (Sydney Pass) comprend une croisière à bord du RiverCat.

---

### CROISIÈRES ORIGINALES SUR LA BAIE

Si vous cherchez un moyen moins commun que l'habituel tour guidé pour explorer la beauté de la baie de Sydney Harbour, vous avez l'embarras du choix entre différents organisateurs.

En voici deux adresses :
• **Sail Sydney :**
vous pouvez partir de 90 mn à 3 heures sur un voilier, accompagné des moniteurs de l'Australian Yachting Federation. L'embarquement se situe à l'Australian Maritime Museum, Darling Harbour. Pour vos réservations, appelez le (02) 9907-0004.
• **Sydney Showboat :**
un bateau à vapeur vous emmène faire une croisière de 90 mn pendant la journée ou de 2 h 30 le soir. Le déjeuner est servi en musique, avec un orchestre de Dixieland. Le soir, le dîner est accompagné d'un spectacle de cabaret. Ces croisières partent de Campbell's Cove, The Rocks. Pour les réservations, appelez le (02) 9552-2722.

---

**À gauche :** *il existe des douzaines de croisières différentes. On peut visiter les îles, ou passer la soirée à bord d'un ancien bateau à vapeur en dégustant un bon repas devant un spectacle de cabaret.*

# 4
# Les banlieues

L'agglomération de Sydney a une superficie à peu près égale à celle de Londres, pour une population de 3,7 millions d'habitants. Cette forte expansion urbaine est due en partie au désir de posséder une maison individuelle. Même les terrains les plus exigus ont suffi pour bâtir de petites habitations de plain-pied. Peu à peu, la ville s'est répandue à 20 km au nord et au sud, et à 50 km vers l'ouest.

On observe une grande diversité de styles de construction. Jusque dans les années 1880, la ville consistait en un centre compact et des quartiers périphériques (*inner city*). Dans les quartiers ouvriers, se dressaient les *terrace houses* (des maisons mitoyennes) de deux ou trois étages, alors que, sur les collines ou dans des endroits profitant d'une vue sur la baie, des résidences cossues dominaient.

Entre 1890 et 1910, on assista à un développement urbain intensif. On construisit alors une profusion de maisons en briques, de style « fédération » qui resta en vigueur jusqu'à la Deuxième Guerre mondiale. De nouveaux matériaux firent leur apparition, comme les panneaux préfabriqués qui permettent de monter rapidement des logements bon marché.

Dans les années 1950, les murs étaient recouverts de fausses briques en terre rouge ou blanche. Pendant les années 1960, le concept de la maison modulable permettait d'agrandir l'habitation selon les besoins. Ce style de construction domine encore dans les banlieues les plus éloignées du centre.

Pour apprécier la diversité de Sydney et de sa banlieue, il est beaucoup plus facile de se déplacer en voiture.

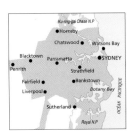

### CURIOSITÉS

**\*\*\* Pittwater** et **Palm Beach :** à une heure de voiture du centre-ville, une excursion dans une région splendide.
**\*\* Hunter's Hill :** une banlieue huppée dont les grandes demeures anciennes sont en pierres de taille.
**\*\* Balmoral Beach :** une plage et un parc très agréables d'où l'on peut admirer les pointes nord et sud à l'entrée de la baie.
**\*\* Watsons Bay :** pour découvrir un panorama du quartier des affaires, de la baie et du Pacifique.

**Ci-contre :** *Bondi Beach, la plage de Sydney connue dans le monde entier.*

Le plan de l'ensemble est assez simple, puisqu'il s'articule géométriquement autour d'une artère principale. Vous pourrez ainsi découvrir les différentes architectures, les points de vue superbes de la baie, et être libre d'explorer à votre convenance les petites rues tranquilles. Quelques heures de promenade en voiture devraient suffire pour vous inspirer du style de vie et de l'atmosphère dans la grande banlieue.

### DOUBLE BAY *

C'est la plus sophistiquée et la plus européenne des banlieues de Sydney. De nombreux Européens de l'Est ont immigré dans ce quartier, dans les années 1950. Bien que Double Bay, Bellevue Hill, Vaucluse et Point Piper aient toujours été habités par l'élite de Sydney, l'arrivée de cette population très aisée a contribué au développement d'un style typiquement européen, de cafés à terrasse, de restaurants luxueux, d'hôtels de grand standing.

Double Bay est un centre de shopping huppé, qui a gardé une ambiance de village, avec ses salons de thé, ses librairies, ses boutiques de décoration et de haute couture. Le cinéma local projette de très bons films étrangers et australiens.

Depuis quelques années, les *Sydneysiders* tendent à éviter les plages de la baie à cause de la pollution. Mais **Seven Shillings Beach** et **Redleaf pool,** près de Double Bay, sont toujours très fréquentées.

Pour arriver à Double Bay, vous pouvez prendre le train jusqu'à **Edgecliff** et descendre New South Head Road à pied ou prendre un bus. On peut aussi prendre un taxi du quartier des affaires (Double Bay est seulement à 4 km du centre). Le Bondi & Bay Explorer (*voir* p. 50) s'arrête aussi à Double Bay.

**Ci-dessous :** *Double Bay est l'une des banlieues les plus chic. On y trouve des magasins d'antiquités et de livres rares, ainsi que des cafés européens.*

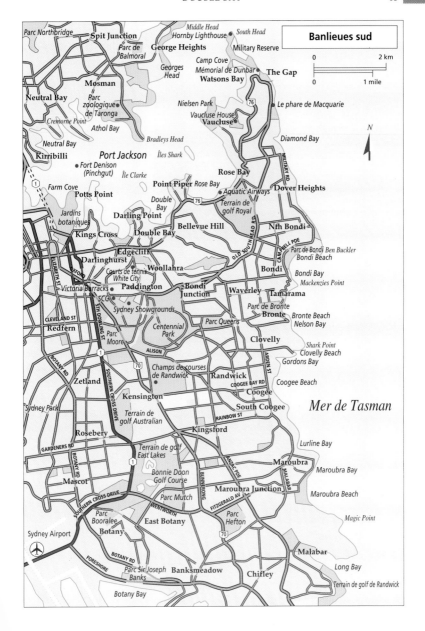

**Banlieues sud**

0       2 km

0       1 mile

Parc Northbridge

Spit Junction

Parc de Balmoral

Middle Head

Hornby Lighthouse   South Head

George Heights    Military Reserve

Georges Head

Camp Cove

Mémorial de Dunbar

Watsons Bay   The Gap

Mosman

Neutral Bay

Parc zoologique de Taronga

Nielsen Park   76

Le phare de Macquarie

Cremorne Point

Athol Bay

Vaucluse House

Vaucluse

Neutral Bay

Bradleys Head

Diamond Bay

N

Kirribilli

Port Jackson   Îles Shark

Fort Denison (Pinchgut)   Île Clarke

Rose Bay

1   Farm Cove

Potts Point

Point Piper   Rose Bay

Aquatic Airways   Dover Heights

Double Bay   76

Terrain de golf Royal

MILITARY RD

Jardins botaniques

Darling Point

Kings Cross

Double Bay

Bellevue Hill

Nth Bondi

OLD SOUTH HEAD RD

Edgecliff

Darlinghurst

Woollahra

CAMPBELL PDE

Parc de Bondi   Ben Buckler

Bondi Beach

Courts de tennis White City

Paddington

Bondi Junction

Bondi

Bondi Bay

ELIZABETH ST

OXFORD

Victoria Barracks

SCG

Waverley

Tamarama

Mackenzies Point

5TH DOWLING ST

Sydney Showgrounds

Parc de Bronte

CLEVELAND ST

Redfern

Parc Moore

Centennial Park

Parc Queens

Bronte   Bronte Beach

Nelson Bay

ALISON

Clovelly

Shark Point

Clovelly Beach

Gordons Bay

BOTANY RD

Zetland

70

Champs de courses de Randwick

Randwick

COOGEE BAY RD

Coogee Beach

ARDEN ST

SOUTHERN CROSS DRIVE

Kensington

Coogee

Sydney Park

Terrain de golf Australian

South Coogee

Mer de Tasman

Rosebery

RAINBOW ST

Kingsford

GARDENERS RD

BOTANY RD

Terrain de golf East Lakes

1

Lurline Bay

ANZAC PDE

Maroubra

MALABAR

Maroubra Bay

Mascot

Bonnie Doon Golf Course

BUNNERONG

Maroubra Junction

FITZGERALD AV

Maroubra Beach

Parc Mutch

WENTWORTH

Parc Hefton

Magic Point

SOUTHERN CROSS DRIVE

Parc Booralee

East Botany

70

Sydney Airport

Botany

Malabar

FORESHORE

BOTANY RD

Parc Sir Joseph Banks

Banksmeadow

Chifley

Long Bay

Terrain de golf de Randwick

Botany Bay

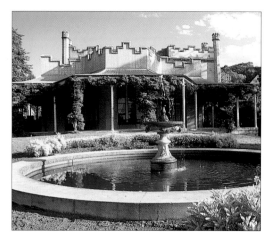

## VAUCLUSE
### Vaucluse House ★★

C'est le huitième arrêt du Bondi & Bay Explorer, mais la plupart des circuits y prévoient un arrêt. **Vaucluse House** se situe à une dizaine de kilomètres du centre. La première maison construite sur ce site, au début du XIXe siècle, appartenait à Sir Thomas Henry Brown Hayes. Cet homme avait été condamné à la déportation pour avoir enlevé la fille d'un riche banquier irlandais dont il était tombé follement amoureux.

En 1822, le capitaine John Piper se l'appropria et, en 1827, le célèbre explorateur **Charles Wentworth,** un des premiers à avoir traversé les Blue Mountains, entreprit de grandes rénovations et des modifications notables. Il habita cette maison jusqu'en 1853. Il est probable que la première réunion du Gouvernement de la Nouvelle-Galles du Sud a eu lieu à Vaucluse House en 1856.

Cette maison est beaucoup plus qu'un site historique. C'est une résidence parfaitement conservée, dont les pièces sont encore meublées comme elles l'étaient au XIXe siècle, ce qui nous éclaire sur le mode de vie de la grande bourgeoisie australienne de l'époque dans les banlieues est.

Les jardins, qui s'étendent jusqu'à la baie, sont magnifiquement entretenus. Le **Vaucluse House Tea Rooms,** un salon de thé situé dans une grande verrière, propose un choix de plats délicieux. Ce décor est souvent exploité pour les mariages célébrés dans le parc.

Les jardins sont ouverts sans interruption. On peut visiter la maison tous les jours sauf lundi, de 10 h à 16 h 30. Pour tous renseignements, appelez le (02) 9388-8188.

---

### LE PHARE DE SOUTH HEAD

Lorsque le *Dunbar* échoua à l'entrée de la baie (The Gap), en 1857, 120 personnes périrent. On décida alors de construire un phare, le Hornby Light, à l'extrémité de South Head. En 1790, un poste de signalisation avait déjà été érigé à cet endroit, pour prévenir les bateaux que la colonie ne se trouvait plus à Botany Bay, mais s'était installée à Sydney Cove. En 1818, l'architecte Francis Greenway, un ancien forçat, réalisa la construction de Macquarie Light, qui fut remplacée par un autre phare, construit en 1883, celui que l'on peut voir aujourd'hui sur la colline qui domine The Gap.

# WATSONS BAY

Situé à l'extrémité de la pointe sud (South Head), Watsons Bay est le neuvième arrêt du Bondi & Bay Explorer. C'est l'un des endroits les plus spectaculaires des banlieues est.

## Le parc de Watsons Bay **

Le bus Bondi & Bay Explorer s'arrête près de ce parc, qui s'étend jusqu'au bord de l'eau. On y trouve un pub, un hôtel-restaurant luxueux et le célèbre **Doyles,** spécialisé dans les fruits de mer, qui est situé près de la plage. Déguster un homard devant le coucher du soleil sur la baie est une expérience à ne pas manquer. Au bout du quai, Doyles Take Away vous propose un grand choix de poissons et de crustacés préparés avec beaucoup de goût, que vous pouvez aller savourer sur la pelouse du parc.

## The Gap *

Les points de vue que l'on a du haut de cette falaise sont variés, puisque quelques minutes de marche séparent le Pacifique de la baie. Une falaise d'une trentaine de mètres tombe à pic dans l'océan. Elle donne de temps à autre de sinistres intentions aux désespérés. Le paysage offert par l'océan est superbe et l'air marin très revigorant. Le 26 décembre, les *Sydneysiders* viennent rituellement assister au départ de la course de voiliers « Sydney Hobart ». L'ancre du *Dunbar,* un navire qui échoua sur les rochers près de la côte le 20 août 1857, est exposée dans le parc, où se trouve par ailleurs une très jolie chapelle.

**Page ci-contre :** *située dans une banlieue très élégante, Vaucluse House est une magnifique demeure du* XIXᵉ *siècle, entourée de jardins qui s'étendent jusqu'à la baie. Elle est ouverte depuis quelques années au public.*

**À gauche :** *après un repas de fruits de mer chez Doyles, le célèbre restaurant de Watsons Bay, partez vous promener sur les falaises qui dominent « The Gap » ; passez devant le phare qui signale aux bateaux les dangers de la côte ; allez vous détendre sur les petites plages de la baie.*

**Ci-dessous :** *Bondi est une plage très fréquentée pendant l'été. Des milliers de personnes y viennent pour se baigner ou simplement se détendre.*

# BONDI
## Bondi Beach ★★

Cette plage, de réputation internationale, est le symbole du mode de vie australien. Située à 7 km à l'est de la cité, elle était déjà très fréquentée à la fin du XIXᵉ siècle. De 1890 à 1950, Bondi Beach était en effet la plage préférée des habitants de Sydney, simplement parce que le tramway reliait régulièrement le centre-ville à la côte et l'accès était par conséquent facile.

Les premières photos de Bondi à la fin du siècle dernier rappellent les stations balnéaires européennes de l'époque. Il existait un immense aquarium que les habitants de Sydney aimaient visiter. Dans les années 1930, la plage était couverte de chaises longues.

Au cours des années 1960, on assista au déclin de sa fréquentation au profit des plages du Nord, plus sauvages, comme celle de Manly. Les anciens immeubles qui bordent Campbell Parade se détérioraient peu à peu. Bondi avait perdu tout son attrait.

Récemment, le bord de mer s'est métamorphosé. Bondi Beach attire à nouveau une clientèle à la mode qui apprécie l'ambiance détendue, à proximité du centre urbain. Sur **Campbell Parade,** une grande avenue qui longe la plage, les restaurants élégants et les cafés de style européen ont remplacé les snack-bars qui vendaient des glaces, des milk-shakes, des hot-dogs et des tourtes à la viande *(meat pies)*.

Alors que, traditionnellement, la plupart des *Sydneysiders* passent le jour de Noël en famille, et savourent une dinde et un *Christmas pudding*, les touristes européens préfèrent jouir des plaisirs offerts par Bondi Beach.

Ravis d'échapper à la rigueur de l'hiver de l'hémisphère nord, ils viennent y pique-niquer au bord de l'eau.

## RANDWICK
### Champ de course de Randwick *

Pour les turfistes de passage, n'oublions pas de mentionner **Randwick Racecourse.** C'est une façon agréable de passer une journée, surtout au printemps et en automne. Beaucoup de *Sydneysiders* sont passionnés par les courses de chevaux et la plupart adorent jouer. Le premier terrain se trouvait à Hyde Park et la première course eut lieu en 1810. L'**Australian Jockey Club** fut fondé en 1842 et en 1860, Randwick était devenu le site de nombreux événements hippiques.

Située à 5 km du centre, cette banlieue est facilement accessible en autobus. Le trajet en taxi est peu onéreux. Pour tous renseignements concernant le calendrier des courses, avec le détail des horaires, consultez le *Sydney Morning Herald* et le *Daily Telegraph.*

### LES PLAGES DE L'EST

Bondi est certainement la plage la plus connue, bien que les habitants du nord de Sydney soient convaincus que les leurs sont les plus belles. Cependant, il ne faut pas ignorer les plages des banlieues est, qui ont aussi leur attrait.

Le trajet de Bondi à Botany Bay en voiture est une aventure si l'on veut suivre le bord de mer, car il n'existe pas de route côtière continue. Seuls des petits tronçons

*Ci-dessus :* les courses de Randwick sont superbement organisés.

---

**ST MARKS, DARLING POINT**

St Marks Church of England est une église anglicane surmontée d'un très belle flèche. Elle fut construite entre 1848 et 1870 sur les plans de Edmund Blacket, l'architecte qui dessina l'université de Sydney. Plusieurs mariages prestigieux, comme celui d'Elton John, ont été célébrés à St Marks. Elle est située à Darling Point, dans un quartier très huppé.

longent le littoral sur de courtes distances, et l'on doit inévitablement passer par l'intérieur des terres.

Si les plages du Nord sont très étendues, celles de l'Est sont petites et souvent encastrées entre deux pointes rocheuses, à l'exception de **Bondi, Coogee,** et **Maroubra.** Le charme de ces criques, dont les eaux sont souvent très agitées, est incomparable. Il s'agit de **Tamarama, Bronte, Clovelly,** et **Gordon's Bay.** De grandes piscines naturelles se sont creusées dans les rochers et permettent aux nageurs moins confirmés de goûter aux plaisirs de la mer. Bondi, Bronte et le nord de Coogee sont équipées de piscines construites au bord de l'eau. Les bains de Coogee, les **Wylie's Baths,** se trouvent au-delà de la pointe sud.

*Ci-contre :* la côte nord de Sydney Harbour regorge de petites criques et de baies. Ce sont les banlieues de Mosman, Cremorne, Neutral Bay, Kirribilli et Milsons Point.

*Ci-dessous :* la plage de Tamarama, au sud de Bondi, se niche entre deux pointes rocheuses.

## NORTH SHORE

« The North Shore » (les banlieues au nord du pont) comprend les banlieues à l'ouest de Gladesville Bridge, celles du Nord jusqu'à Hornsby, et de l'Est jusqu'à l'océan. La *Lowe North Shore* est une mélange d'attractions touristiques, de bâtiments historiques, de banlieues élégantes et de chemins de randonnées le long des côtes qui précèdent le port. Beaucoup de ces banlieues ont un intérêt historique considérable.

**Mosman** et **Clifton Gardens,** plus au sud, possèdent des édifices historiques très intéressants et de belles demeures de style début XVIII$^e$ siècle. **Balmoral Beach** se situe sur la baie, bordée d'une promenade plantée de figuiers. Le week-end, elle est envahie par les citadins qui y font des pique-niques en famille.

### De North Sydney à Mosman

L'excursion vers le North Shore commence par

North Sydney. En l'espace de 20 ans, le quartier central des affaires s'est étendu depuis le centre, de l'autre côté du pont. Les hauts gratte-ciel des entreprises de publicité et d'informatique se dressent les uns à côté des autres. De nombreux bars très élégants, des restaurants de qualité, des bars à vin très achalandés se sont ouverts dans ce quartier, entre Milsons Point et North Sydney.

Malgré la profusion d'immeubles modernes, l'urbanisme de ce district est parvenu à respecter un certain équilibre, manifestant un sens de l'espace et un esthétisme qui lui sont particuliers.

Lorsqu'on quitte ce quartier des affaires, on monte Miller Street et on arrive à **North Sydney Oval,** un terrain de cricket qui, depuis sa rénovation, a retrouvé son charme des années 1930. On tourne ensuite dans Military Road. Cette grande avenue traverse les banlieues de **Neutral Bay** et de **Cremorne** avant d'atteindre **Mosman** et les pentes de **Balmoral.** Nutcote et le parc zoologique de Taronga se trouvent à proximité.

### Nutcote ★

C'est la maison de May Gibbs, la célèbre créatrice des petits personnages du bush qui font le bonheur des enfants australiens depuis le début du siècle. Située

---

**RESTAURATION SUR MILITARY ROAD**

Neutral Bay, Cremorne et Mosman offrent une quantité d'excellents restaurants. En voici quelques-uns :
• **Boronia House,**
624 Military Road, Mosman, tél. : (02) 9969-2099, sert une cuisine variée.
• **The Pig & The Olive,**
318a Military Road, Cremorne, tél. : (02) 9953-7512, prépare des pizzas comme on n'en trouve nulle part ailleurs.
• **Sala Thai,** 778 Military Road, Mosman, tél. : (02) 9969-9379. C'est l'un des plus anciens et des meilleurs restaurants thaïlandais de Sydney.
• **Rattlesnake Grill,**
130 Military Road, Neutral Bay, tél. : (02) 9953-4789, est spécialisé dans la cuisine nord-américaine épicée.
• **Viet Nouveau,**
731 Military Road, Mosman, tél. : (02) 9968-3548, est un restaurant vietnamien enrichi d'une petite influence française.

---

**L'AMI DES SERPENTS**

À considérer comme un record ? Dans les années 1940, un gardien du zoo de Taronga, George Cann, avait en charge les reptiles. Il déclara avoir été mordu plus de 400 fois par des serpents venimeux. Cela n'est guère surprenant car cet homme aimait tant ces animaux, qu'en dehors de la collection du zoo, il en avait une cinquantaine chez lui.

---

5 Wallaringa Avenue à Neutral Bay, cette jolie demeure est entourée de jardins qui ont inspiré l'auteur et illustrateur de *Snugglepot and Cuddlepie*. Toute cette végétation a donné naissance aux bébés Gumnut, aux vilains Banksia Men et à toute une faune imaginaire très pittoresque inspirée par la flore australienne.

Un ferry vous emmène de Circular Quay à Hayes Street Wharf en 15 mn. La maison se trouve en haut de la colline, à 5 mn de marche de l'embarcadère. Elle a été transformée en galerie où sont exposés les dessins originaux de May Gibbs. Vous pourrez aussi admirer une très belle vue de la baie. Pour tous renseignements, appelez le (02) 9953-4453. Heures d'ouverture : de 11 h à 15 h, du mercredi au dimanche.

### Parc zoologique de Taronga ★★★

Superbement installé au bord de la baie, au bout de Bradleys Head Road à Mosman, le parc zoologique de Taronga a obtenu le prix du meilleur zoo du monde. Il fut ouvert en 1916 et, le 24 septembre de cette année-là, le premier ferry de Circular Quay transporta un éléphant nommé Jessie. Peu de temps après, un service de ferries régulier fut établi pour transporter les visiteurs. Il abrite une faune australienne très intéressante. Pour y aller, prenez le ferry qui rejoint le zoo en 12 mn. Il part du quai n° 2, à Circular Quay. On peut aussi prendre un bus aux gares de Wynyard ou de St Leonards.

Il existe deux sortes de billets combinés (transport et entrée au parc) : le **Zoopass,** disponible à Circular Quay, inclut le ferry, le bus et la visite du zoo ; le **Zoolink,** en vente dans les gares de banlieue, comprend les mêmes avantages, plus le transport en train.

Vous y verrez des échidnés, des dingos, des wombats, des kangourous et des wallabies, des serpents australiens et des araignées de toutes sortes. Vous pourrez vous approcher des koa-

**Ci-dessous :** *le parc de Taronga est le zoo le mieux situé du monde. Les visiteurs peuvent y voir beaucoup d'espèces marquantes de la faune australienne comme le wallaby et le koala, ainsi que de nombreuses espèces d'animaux venant d'autres continents.*

las et observer ces curieux ornithorynques (platypus) avec leur petit corps poilu et leur bec de canard. Pour tous renseignements, appelez le (02) 9969-2777. Le parc est ouvert de 9 h à 17 h tous les jours de l'année.

## De North Sydney à Gladesville **

Si vous vous dirigez vers l'ouest de North Sydney, vous arrivez à Waverton, Greenwich, Northwood, Longueville, Riverview, Hunter's Hill et Gladesville. De nombreux parcs bordent les rives de la baie et les maisons présentent une grande diversité. Certaines sont de vastes demeures confortables en pierres de taille, d'autres sont simples, vieillottes et joliment fleuries, d'autres, au contraire, ont une architecture très moderne.

## Hunter's Hill **

L'architecture de Hunter's Hill date du XIXᵉ siècle. Le terrain de cette péninsule fut morcelé et vendu à différents acheteurs entre 1835 et 1843. Ces nouveaux propriétaires firent construire des résidences en pierre ou de petits cottages selon leurs moyens. Jules et Didier Jourbert, des investisseurs immobiliers, acquirent 80 ha. Ils employèrent 70 tailleurs de pierre italiens pour la construction d'un grand nombre de maisons imposantes. Hunter's Hill est le départ d'une randonnée de 14 jours (The Great North Walk), 250 km à travers les parcs nationaux qui se trouvent entre Sydney et Newcastle.

## De North Sydney à Hornsby

Le Pacific Highway est une grande route qui part de North Sydney et traverse de nombreux centres commerciaux dont ceux de Chatswood et de Gordon, avant d'atteindre l'*upper North Shore*, les banlieues les plus au nord du pont.

## Castlecrag **

À l'est de Pacific Highway, se trouve une des rares banlieues de Sydney dont l'urbanisme ait été planifié. Dans les années 1920, l'architecte américain **Walter Burley Griffin,** qui dessina les plans de Canberra, divisa la région de **Castlecrag** en sections et développa un nouveau concept qui rappelait la struc-

---

### LES MAISONS DE HUNTER'S HILL

Quatre d'entre elles ont un intérêt particulier :
• **Fig Tree House,** 1 Reiby Road. Une partie de cette maison date de 1836. Elle appartenait à Mary Reiby, qui avait été condamnée à la déportation.
• **St Claire,** 2 Wybalena Road. C'est une des plus belles demeures en pierres de taille.
• **Clifton,** 7 Woolwich Road, est une maison de deux étages de 1891. Les pierres avec lesquelles elle fut construite ont été extraites sur le site même.
• **Town Hall,** Alexandra Street, construit en 1856, est l'un des bâtiments les plus remarquables.

---

### LE PORT DE SYDNEY

« Sydney Harbour » a une superficie de 5 504 ha et une profondeur qui varie entre 9 m et 47,2 m (à l'ouest du pont de Sydney). C'est la voie navigable la plus sûre au monde. Pourtant, si les bateaux peuvent circuler dans la baie en toute sécurité, il n'en va pas de même pour les nageurs. En effet, le port est habité par de nombreux requins qui viennent s'y reproduire. Bien sûr, il est très imprudent de se baigner à un endroit non protégé.

**Ci-dessus :** *de nombreux petits fleuves se jettent dans la baie de Sydney. Un barrage étroit sépare le Lane Cove, qui traverse le parc national, de la baie. Cet endroit ravissant est propice aux pique-niques et à la détente. Des cygnes noirs glissent sur ce cours d'eau pittoresque devant le regard admiratif des promeneurs.*

ture des villages médiévaux européens. Les rues, bordées d'habitations modernes en pierres taillées, s'étendaient autour de la banlieue à la façon des ruelles qui, au Moyen Âge, entouraient les châteaux forts. Le projet de Griffin échoua en partie. Aujourd'hui, il ne reste que quelques anciennes demeures, mais on a gardé le nom des rues : The Bulwark (le rempart), Redoubt (la redoute), Bastion, The Scarp (l'escarpement), The Barricade, Citadel, Parapet et Rampart. Castlecrag est une banlieue très riche, d'où l'on a une magnifique vue sur la baie.

### Lane Cove ★★★
**Le parc national de Lane Cove** (à l'ouest de Chatswood) est un endroit très agréable, relativement proche du centre-ville. De nombreux chemins de randonnée parcourent le parc et des aires de pique-niques ont été aménagée sur les bords de la Lane Cove. Un bateau vous emmène le long de ce joli fleuve pour vous faire découvrir le bush, mais, si vous préférez plus d'autonomie, vous pouvez louer une barque.

### Upper North Shore ★★
C'est la banlieue la plus au nord du pont. Les agglomérations de **Killara, Pymble, St Ives, Wahroonga** et **Gordon,** sont opulentes. L'ancienne bourgeoisie fit construire des maisons cossues.

Les premières demeures furent bâties sur les coteaux, de chaque côté d'un couloir où passe aujourd'hui la voie ferrée. La flore qui les entoure est un mélange de gommiers et d'arbres européens à feuilles caduques. Les couleurs vives des feuillages se mêlent en automne au vert immuable des eucalyptus.

Les quartiers à l'ouest du chemin de fer sont beaucoup moins riches que ceux de l'est, où se trouvent les résidences les plus imposantes. Pour découvrir leur luxe et leur élégance, il faut prendre les petites rues perpendiculaires. Cette région, que l'on appelle « upper North Shore », est habitée par l'élite professionnelle de Sydney.

**TARIFS DE FERRIES**

Le **State Transit Sydney Ferries** offre 7 options de billets de croisières : l'Aquarium Pass, qui comprend un trajet en ferry et une visite de l'aquarium de Darling Harbour ; le Zoopass *(voir p. 70)* ; le Harbour Cruise, une croisière de 2 h 30 ; le Harbour Lights Cruise, une croisière de 90 mn, dans la soirée ; l'Oceanpass, un aller-retour en ferry de Circular Quay à Manly et la visite de l'« Oceanworld » ; et enfin, le billet combiné de JetCat et de RiverCat.

## Les plages du Nord

Entre Palm Beach et Manly, les plages sont très nombreuses et toutes aussi belles les unes que les autres. Pourtant si vous demandez l'avis des *Sydneysiders,* chacun défendra « sa » plage avec véhémence. En fait, leur préférence dépend beaucoup des souvenirs qu'ils y attachent.

### Manly **

Après la plage de Bondi, celle de Manly est la plus célèbre de Sydney. Elle est située au nord de North Head (la pointe nord), sur une presqu'île de quelques centaines de mètres de large entre l'océan et la baie. Manly a le charme tranquille d'une banlieue légèrement excentrée.

La traversée de la baie en ferry, de Circular Quay à Manly Wharf, est magnifique. Les jours d'orage, lorsqu'on arrive au niveau des pointes nord et sud, les vagues arrivent de l'océan avec force et se heurtent contre la coque du bateau, qui tangue violemment. Le spectacle est très impressionnant.

Manly est un endroit très touristique. Le **Corso,** la grande promenade du centre, relie l'embarcadère à la plage de l'océan ; il est bordé de nombreuses boutiques de cadeaux et d'articles de plage, de snacks et de restaurants. Le dimanche sont organisés des spectacles de rues et de multiples activités pour les enfants.

---

**LES DEMEURES HISTORIQUES**

Le « Ticket Through Time », valable trois mois, permet au visiteur curieux de découvrir l'intérieur d'anciennes maisons, de visiter sept demeures historiques. Parmi ces résidences, se trouve Rose Seidler House, 71 Clissold Road, à Wahroonga. Construite en 1948-1950, c'est la première réalisation d'architecture moderne de Sydney. Elle est ouverte au public le dim. de 10 h à 16 h 30. Pour obtenir le « Ticket Through Time », contactez le (02) 9692-8266.

---

**À gauche :** *la promenade qui part de Manly Wharf (l'embarcadère) et aboutit à la plage de l'océan est très fréquentée, surtout le dimanche.*

**LA VISITE DE MANLY**

Différents circuits sont
proposés pour visiter Manly.
On peut très bien découvrir
les plages et les rues
de Manly en se promenant
à tout hasard, mais si
vous préférez profiter
d'une visite guidée faite
par des spécialistes,
vous pouvez contacter un
des organismes suivants :
• **Manly In-Sight Tours,**
tél. : (02) 9905-1200.
• **Boomerang Bus Tours,**
tél. : (02) 9913-8402.
Pour la réservation des tours
organisés dans cette région,
contactez le **Australian
Travel Specialists,**
situé à Manly Wharf,
tél. : (02) 9977-5296.

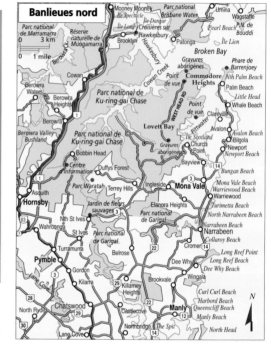

**Banlieues nord**

**Ci-dessous :** *Ocean World
est une sorte d'aquarium géant
qui vous permet d'explorer le
monde sous-marin. C'est l'un
des endroits de Manly qui
attirent le plus de monde.*

Entre le Corso et la plage de l'océan, se trouve le **Manly
Visitors Information Centre** (tél. : (02) 9977-1088). Ce
bureau d'information met à votre disposition des brochures
concernant les tours, les fes-
tivals, les restaurants, les
hôtels, ainsi que tous les
parcs d'attraction, tels que le
**Waterworks** (emportez
votre maillot de bain pour
profiter des jeux aquatiques
et glisser sur les toboggans
géants) et l'**Ocean World** (un
océanarium où vous pourrez
observer des requins et des
raies gigantesques). La visite
de Manly doit toujours

inclure un moment de détente sur la plage et une promenade le long de la côte.

## Quarantine Station *

Pendant près d'un siècle, Quarantine Station a hébergé les immigrés qui arrivaient en Australie, atteints par des maladies contagieuses graves. Cet ensemble d'immeubles en bois est très intéressant. Si vous y aller à pied, la promenade dure environ une demi-heure. Vous passez par North Head d'où vous avez une vue splendide de la baie de Sydney. Par ailleurs, le **North Head Shuttle Bus,** qui part de Manly Wharf, vous permet de parcourir la région confortablement.

Tout près, le **North Fort Artillery Museum** (tél. : (02) 9976-3855) est un musée militaire situé dans un parc. North Head était un lieu stratégique où l'on avait placé des canons. Ils servaient à protéger la baie en cas d'invasion.

## Le parc national de Sydney Harbour ***

De nombreux chemins passent par des sites qui offrent aux promeneurs un panorama de la baie, de la cité, de South Head et des banlieues est. Au-dessous s'étend l'océan Pacifique dont les vagues puissantes se brisent contre les falaises abruptes de North Head. Cette région fait partie du parc national de Sydney Harbour. La flore du littoral, colorée et robuste, n'a jamais été affectée par l'arrivée des Européens et la civilisation industrielle.

*Ci-dessus : Manly, situé sur une presqu'île, offre le choix de deux plages. Celle de l'océan est idéale pour le surf et celle de la baie permet une baignade tranquille.*

### FERRIES ET JETCATS

Il n'est pas nécessaire de réserver une place sur les ferries qui relient Circular Quay à Manly, ni sur le Manly JetCat. Ils traversent la baie régulièrement ; voici leurs horaires :

• **Manly Ferry :** toutes les 15 mn, de 6 h à 9 h, et toutes les demi-heures, de 9 h à 17 h. Le dernier ferry part de Circular Quay à 19 h et de Manly à 19 h 40.

• **JetCat :** toutes les 20 à 25 mn, de 6 h à 10 h 25, et toutes les 30 mn, de 10 h 50 à 16 h 20. Le dernier hydrofoil part de Circular Quay à minuit, de Manly à 0 h 20.

Ci-dessus : *Manly (photographiée ici), Dee Why, Narrabeen, Curl Curl, Avalon, Newport et Palm Beach font partie des plages les plus populaires de Sydney.*

### De Manly à Newport ★★★

Tous les *Sydneysiders* ont une plage de prédilection. Avec cet embarras du choix, la préférence est souvent le fait de bons souvenirs de l'enfance plutôt que des critères très objectifs. Du nord de Manly jusqu'à Palm Beach, chaque plage a son charme particulier. La plage de Manly s'étend sans interruption de Fairy Bower à la pointe rocheuse située à l'extrémité de **Queenscliff.** Elle comprend la plage de **North Steyne.** Les plages suivantes sont : **Freshwater,** puis **Curl Curl, Dee Why** (séparée d'un lagon par une fine bande de terre) et **Long Reef Beach,** qui longe un terrain de golf (le Long Reef Golf Course). Au nord des pointes de Long Reef, se trouve Collaroy Basin, que l'on appelle aussi « Fishermans Beach ». **Narrabeen** se situe dans le prolongement de **Collaroy.** Le lac de Narrabeen rejoint l'océan à l'extrémité de l'immense étendue.

Plus au nord, nichée entre des rochers, la petite crique de **Turimetta Beach** (Little Narrabeen) est pittoresque mais inaccessible. **Warriewood Beach,** la plage suivante, est magnifique. La longue plage de **Mona Vale** borde un autre terrain de golf. Une jolie piscine a été aménagée dans les rochers.

Après Mona Vale, on arrive aux plages de la péninsule. Certaines sont difficiles d'accès ou sont jalousement gardées par les riverains, qui s'efforcent de les protéger de l'affluence des estivants de passage. Pour atteindre **Bungan Beach,** il faut descendre un petit chemin, à pied. La plage de **Bilgola** est blottie au-dessous de Barrenjoey Road, la route côtière. Les rues qui mènent à **Whale Beach** sont tortueuses et il n'est pas toujours aisé de retrouver son chemin.

**Newport** est une plage très à la mode. **Avalon** et **Palm Beach** sont des endroits privilégiés où le Tout-Sydney possède de splendides maisons secondaires.

Il est préférable de louer une voiture pour pouvoir explorer cette magnifique région à son gré. On peut ainsi s'arrêter pour admirer la vue, aller se baigner dans les nombreuses piscines naturelles creusées dans les rochers, ou se promener

---

**LE NEWPORT ARMS**

Un des pubs les plus renommés de Sydney est le Newport Arms, situé sur Pittwater. Le **Arms** doit sa célébrité au magazine *Oz* qui, dans les années 1960, publiait une bande dessinée de Martin Sharp, intitulée *The World Flashed Around the Arms* (« le monde a sorti ses armes », ou encore « le monde est venu frimer à l'Arms »). C'était une satire de la vie sociale du pub à cette époque. Sharp fut poursuivi en justice pour l'un de ses dessins, jugé obscène. Ce procès est resté célèbre dans l'histoire judiciaire de Sydney.

dans les centres de shopping où l'ambiance est très détendue. On y trouve des boutiques de mode, des parfumeries, ainsi que des restaurants et des fast-foods, mais très peu de magasins avec des articles de première nécessité.

Après Avalon, la route continue vers l'extrémité de la péninsule, entre l'océan et Pittwater à gauche. Toutefois, on peut tourner à droite sur Barrenjoey Road et atteindre Palm Beach en suivant Florida Road et Whale Beach Road, qui serpentent près de la côte. Le panorama est absolument superbe. Au détour d'un virage, on aperçoit l'architecture moderne d'une maison perchée sur les hauteurs, au milieu d'une flore subtropicale très dense. Un peu plus loin, la vue de l'océan à travers les eucalyptus et les fougères géantes est un spectacle reposant et fascinant à la fois.

Dans cette région, la natation, les longues promenades et l'exploration des environs sont de simples mais de réels plaisirs et passe-temps.

### Pittwater et Palm Beach ★★★

Pittwater est une immense étendue d'eau qui se trouve tout au nord. Le gouverneur Phillip découvrit cette baie en 1788 et lui donna le nom de Pitt, d'après William Pitt le Jeune (un politicien britannique). Phillip déclara qu'il n'avait jamais rien vu d'aussi beau et ajouta que cette immensité pourrait contenir toute la flotte du Royaume-Uni. Il aurait été surpris d'apprendre que, deux siècles plus tard, cette baie serait envahie par toute une flottille de bateaux de plaisance et par de nombreux véliplanchistes.

**Ci-dessous :** *Palm Beach, la dernière plage avant l'estuaire de Hawkesbury River, est l'un des endroits les plus huppés de Sydney.*

Théoriquement, Palm Beach et Pittwater font partie de Sydney. Mais en réalité, les privilégiés, qui habitent cette « péninsule », aiment se sentir coupés des autres banlieues situées au sud.

Partir à Palm Beach est une véritable expédition. Dès qu'on atteint les plages du Nord, la route devient tortueuse. Elle longe les plages de l'océan, frôle les petites criques de

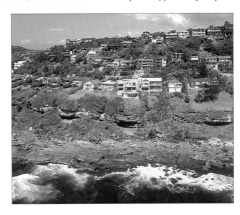

### LE PHARE DE BARRENJOEY

Le phare de Barrenjoey est situé sur le point culminant de Palm Beach. Dressé sur la pointe nord de la plage, il domine l'océan et Pittwater. Au milieu du XIXᵉ siècle, Broken Bay étant un port très actif. On construisit un premier phare en 1868. Il était constitué de deux bâtiments en bois, connus sous le nom de Stewart Towers. En 1881, on en érigea un autre, plus important, qui pouvait être visible à 40 km de la côte. Son nom actuel est aborigène et signifie « jeune kangourou ».

Pittwater pour serpenter à travers la péninsule. Le bus, qui part du centre-ville, met deux heures.

Palm Beach se prête à de nombreuses activités. Le voyage en ferry vers **The Basin** est très agréable. Le petit site de **Snapperman Beach,** à Pittwater propose de nombreux restaurants de fruits de mers, ainsi que des « fish and chips » (des fast-foods qui vendent du poisson frit ou grillé et des frites). La promenade le long de la presqu'île et la découverte du panorama sur le promontoire où se dresse le phare de Barrenjoey sont des moments à ne pas manquer ; admirez l'île Lion, Pittwater et les îles éparpillées dans son bassin et l'immensité du Pacifique. Ruth Park, un écrivain originaire de Sydney, évoquait le farniente sur la plage de Palm Beach en ces mots : « Le but du séjour à Palm Beach est de se joindre aux corps immobiles étendus sur le sable doré, anéantis par le soleil, et de fixer le ciel à travers les paupières. » Aujourd'hui, les bains de soleil sont beaucoup plus modérés. Le cancer de la peau fait de grands ravages et si l'on aime toujours se dorer aux rayons ultra-violets, on se protège avec une crème solaire de force 15, et l'on se réfugie à l'ombre après quelques minutes d'exposition.

**Ci-dessous :** *le phare de Barrenjoey se dresse au bout d'une pointe rocheuse qui domine Pittwater et Hawkesbury River. Le petit chemin à travers la rocaille mène à un admirable panorama.*

### Le phare de Barrenjoey ★★★

Escalader le petit chemin qui mène au phare est un effort bien récompensé. Dessiné par l'architecte qui réalisa le General Post Office à Sydney, ce bâtiment fut érigé en 1881. Pendant des années il a servi de balise aux bateaux qui faisaient la navette entre le fleuve Hawkesbury et la baie Broken.

La péninsule abrite aujourd'hui la faune opulente des gens du spectacle. Construites sur les coteaux de Palm Beach et de Whale Beach, leurs demeures magnifiques offrent des vues aussi grandioses que le train de vie de leurs habitants.

## BOTANY BAY ★

En 1938, une brochure intitulée : *Jubilee History of the Municipality of Botany* mentionnait avec fierté : « Aucun endroit en Australie n'est aussi riche en événements historiques et en monuments commémoratifs de toutes sortes : une plaque fixée sur la falaise en 1823 ; un pilier en grès, érigé par Thomas Hot en

1870, pour indiquer l'endroit où débarqua le capitaine Cook et célébrer le centenaire de son arrivée ; le mémorial de Farby Sutherland, le premier Britannique mort sur le sol australien ; et la colonne imposante dressée par les Français en l'honneur du dernier endroit que La Pérouse a visité sur ces côtes. »

Botany Bay est étroitement liée à l'histoire de Sydney et de l'Australie. Il est difficile d'imaginer l'impression du capitaine Cook et de ses marins, lorsqu'ils débarquèrent en 1770, ou celle du capitaine Phillip et de l'équipage de la Première Flotte, en 1788.

L'activité principale de cette zone est l'aéroport international de **Sydney Kingsford Smith** dont les longues pistes d'atterrissage s'étendent jusqu'à la baie. Les raffineries de pétrole et les gigantesques entrepôts de conteneurs donnent au paysage son aspect industriel. Près de

**Ci-dessus :** *cette réplique exacte du* Endeavour, *le bateau à bord duquel le capitaine Cook débarqua à Botany Bay, a été construite à Fremantle.*

**Ci-dessous :** *l'aéroport de Kingsford Smith se trouve au sud de Sydney.*

### ÎLE SCOTLAND

L'un des secrets les mieux gardés de Sydney est l'île Scotland, située dans Pittwater. Cette petite île, coupée du reste du monde, est habitée par une population très restreinte. Pour l'atteindre, il faut prendre un ferry à Church Point. Les résidents possèdent des petits bateaux qui leur permettent de rejoindre la côte à leur gré, à partir de cinq embarcadères (Tennis Court Wharf, Eastern Wharf, Carolus Wharf, Bell Wharf et Cargo Wharf). André Thomson fut le premier colon à s'y installer, en 1810. Un siècle plus tard, l'île fut morcelée et vendue à des particuliers.

**Ci-contre :** *la ville de Parramatta fut établie après Sydney Cove. Elle possède de nombreux bâtiments historiques, comme l'ancien Parlement.*

---

**UNE STATION BALNÉAIRE**

On serait tenté de croire que le nom de Brighton-le-Sands a un rapport avec le passage de **La Pérouse**, le navigateur français. En fait, il a été choisi par un propriétaire terrien des années 1880 qui contribua au développement de la région ouest de Botany Bay.
Il lui donna le nom de **Brighton** en souvenir de la petite ville de bord de mer anglaise.
Pour la distinguer de la ville anglaise de Brighton, il ajouta « le-Sands ».

---

**WATKIN TENCH À BOTANY BAY**

Lorsque le capitaine Cook aperçut Botany Bay pour la première fois, il écrivit dans son journal qu'il avait découvert « les plus belles prairies au monde ». Quelques années plus tard, le capitaine Watkin Tench explora la côte, pendant que le capitaine Phillip partait découvrir la baie de Sydney. Tench en fit un rapport un peu moins élogieux. Cette côte n'était, en fait, qu'un terrain sablonneux et vaseux par endroits, où l'on s'enfonçait jusqu'aux genoux.

---

la plage de Brighton-le-Sands se dresse le Novotel, un immeuble très élégant.

Cette région est bien différente du reste de la baie. Les visiteurs désireux d'explorer les aspects inhabituels de Sydney, peuvent passer une demi-journée à découvrir les côtes au large de Botany Bay.

Au sud de Anzac Parade, sur le plateau de la pointe nord-est de la baie, se trouvent le **Long Bay Gaol**, la prison centrale de Sydney, et l'hôpital **Prince Henry.** Derrière ces deux édifices s'étend une très belle côte qu'il est agréable d'arpenter pour atteindre **Little Bay.** Ce petit village connut un moment de gloire internationale lorsque Christo vint l' « emballer » dans les années 1970. (Cet artiste emballa le Pont Neuf, une dizaine d'années plus tard.) Un peu plus loin, sur la côte, habite la communauté aborigène de **La Pérouse.** Tous les ans, le 26 janvier, les aborigènes commémorent l'invasion de l'Australie en célébrant *Australia Day* par un concert qui dure toute la journée.

**Brighton-le-Sands, Ramsgate, Dolls Point** sont des banlieues agréables situées autour de la baie. On y trouve de nombreuses aires de pique-nique et des plages protégées. Des panneaux signalent la présence de requins et, si l'on veut se baigner, il faut s'assurer que l'endroit est surveillé. La réserve naturelle de **Towra Point,** l'une des pointes du Sud, abrite des oiseaux migrateurs qui viennent du Japon et de Sibérie. C'est là que le capitaine Cook a posé le pied pour la première fois sur le sol australien, le 1er avril 1770. Accompagné d'un petit équipage, il s'approcha de la côte à bord d'un bateau à rames. En abordant à **Kurnell**, il commanda à son neveu Isaac de sauter le premier sur la terre ferme. Le jeune garçon obéit : il fut ainsi le premier à fouler le sol de la côte est de l'Australie.

Un obélisque commémore cet événement. À proximité se trouve la tombe de Farby Sutherland, emporté par la tuberculose. Ce marin de l'*Endeavour* fut le premier sujet britannique mort et enterré en Australie (le 1er mai 1770). Il avait succombé à la tuberculose. Le nom de Sutherland fut donné au comté qui s'étend vers le sud de Botany Bay. Il comprend la banlieue de **Cronulla,** au sud de Kurnell.

## PARRAMATTA **

Parramatta est relié à la cité par un hydrofoil, le RiverCat, et par le train. Centre géographique de Sydney, cette ville très active est aussi le carrefour des banlieues ouest, sud-ouest et nord-ouest. De nombreux bus desservent cette zone.

Quelques semaines après l'arrivée de la Première Flotte à Sydney Cove, on organisa des expéditions de repérage dans la région. La richesse de son sol en faisait un terrain idéal pour l'agriculture. En novembre 1788, Phillip choisit le site de **Rose Hill,** à l'est de l'actuel Parramatta. L'année suivante, on récol-tait la première production de blé de la colonie. En 1791, on rebaptisa cette région « Parramatta », un mot abo-rigène qui signifie « l'endroit où l'anguille se repose » ou « la source du fleuve ».

C'est une région très innovatrice. Après l'établis-sement de Sydney Cove, on choisit ce site pour y culti-ver les céréales qui ser-vaient à alimenter la colo-nie. On y développa la cultu-re des arbres fruitiers et les premiers vignobles, on y éta-blit des brasseries et des tan-

**PARRAMATTA, SITE HISTORIQUE**

Il existe plus de 40 sites historiques dans la région de Parramatta parmi lesquels *Old Government House, Elizabeth Farm* et *Experiment Farm*, et :
• **Hambledon Cottage,** 63 Hassell Street, fut construit en 1824 à la demande de John Macarthur. Il est ouvert au public le mercredi, le jeudi et le week-end, de 11 h à 16 h, tél. : (02) 9635-6924.
• **Brislington** (1821), Marsden Street (ouvert le dimanche seulement, de 10 h 30 à 16 h), tél. : (02) 9630-3703.
• **Roseneath,** au coin de Ross Street et de O'Connell Street. Il fut construit en 1837, pour abriter une veuve qui était arrivée à la colonie accompagnée de ses neuf enfants et de 63 moutons mérinos. Les cimetières historiques de Parramatta sont aussi très intéressants à visiter.

**Centre-ville de Parramatta**

neries. Les bagnards servant de main d'œuvre, il fallut construire une prison pour les y loger. L'**Experimental Farm,** située à Ruse Street, est une belle maison de maître, construite en 1834, qui appartenait à James Ruse. Elle est ouverte au public du mardi au jeudi, de 10 h à 16 h, et le dimanche de 11 h à 16 h ; pour tous renseignements, tél. : (02) 9635-5655.

**Ci-dessus :** *la première exploitation agricole fut établie à Parramatta. En 1834, un bâtiment fut érigé sur l'Experimental Farm.*

### PENRITH : DATES HISTORIQUES

**1789** Watkin Tench découvre le Nepean, et le décrit comme « un fleuve aussi large que la Tamise à Putney ».
**1813** Blaxland, Wentworth et Lawson traversent le Nepean à Emu Ford avant de franchir les Blue Mountains.
**1815** La route qui traverse les Blue Mountains passe par l'actuelle ville de Penrith.
**1818** Le gouverneur Macquarie donne au site le nom de « Penrith » d'après la petite ville anglaise.
**1851** Penrith devient un relais de diligence très important car elle se trouve sur l'itinéraire des mines d'or. Aujourd'hui, elle fait partie de l'agglomération de Sydney, c'est la dernière banlieue à l'ouest du quartier des affaires.

### Elizabeth Farm **

Elizabeth Farm, 70 Alice Street, est une ancienne ferme, construite pour Elizabeth et John Macarthur, en 1793. Macarthur est l'un des premiers colons qui réussirent à faire fortune grâce à l'élevage de mérinos, qu'il introduisit en Australie. Les héritiers de cette puissante dynastie appartiennent à l'aristocratie terrienne (pour autant que l'esprit démocratique australien admet cette sorte de catégorie sociale). Une partie de cette maison date du début de la colonisation. Son architecture de style colonial permettait, grâce à une véranda qui entoure l'habitation et son large toit en pente, de conserver une certaine fraîcheur. Cette résidence est ouverte au public tous les jours, de 10 h à 17 h. Le salon de thé sert aussi le déjeuner. Tél. : (02) 9635-9488.

### Old Government House **

Située dans le parc de Parramatta, c'était la résidence des premiers gouverneurs de la colonie. Elle est ouverte du mardi au vendredi de 10 h à 16 h, le samedi et le dimanche de 11 h à 16 h. Tél. : (02) 9635-8149.

### LES BANLIEUES DE OUEST

Ces banlieues, les plus peuplées de l'agglomération de Sydney, sont le cœur de l'Australie. Elles s'étendent entre Parramatta et les Blue Mountains à l'ouest, vers Campbeltown au sud, et vers Richmond et Windsor au nord. Les habitants des faubourgs de la cité trouvent cette région inintéressante, mais cette critique est injustifiée. C'est un endroit très animé, qui comble les attentes des touristes.

## Wonderland *

C'est le plus grand parc d'attraction du pays, la version Hanna Barbera de Disneyland. Ce centre comprend une reconstitution de la ruée vers l'or, de gigantesques montagnes russes en bois (le « Snowy River Rampage »), avec des activités aquatiques, le Transylvania (d'autres montagnes russes qui font un circuit de 360°), des parcs naturels, des plages artificielles, et un théâtre en plein air qui présente une grande variété de spectacles. Wonderland est ouvert tous les jours de 10 h à 17 h. Pour tous renseignements, appelez le (02) 9830-9100 ou, pour des informations continues, le (02) 9832-1777.

## Penrith *

Penrith se situe à quelques kilomètres après Wonderland. C'est une ville très vivante qui attire de nombreux visiteurs grâce à son complexe touristique situé sur la rive du fleuve Nepean : le **Panthers Resort** sur Mulgoa Road (tél. : (02) 4721-7700). Il fut édifié pour financer, en partie, le club de football de la région. Il comprend un hôtel et un motel, des night-clubs, de nombreux restaurants, et une grande variété de divertissements. À proximité du centre, le **Museum of Fire** abrite d'anciennes voitures de pompiers. Le **Joan Sutherland Performing Arts Centre** produit des pièces de théâtre et des spectacles de danse. Sur le fleuve Nepean se déroulent beaucoup d'activités sportives comme le ski nautique et les courses d'avirons annuelles. Le **Nepean Belle Paddle Steamer,** amarré en amont de Penrith Panthers Resort, vous permet de faire une croisière à travers les gorges du Nepean. Pour plus de renseignements sur cette région, appelez l'office du tourisme : (02) 4732-7671 ou le Panthers World of Entertainment au (02) 4721-7700. À l'ouest de Penrith se trouvent les Blue Mountains.

**Ci-dessus :** *comme tous les parcs d'attraction, Wonderland amuse les petits et les grands.*

---

### LA RÉGATE

Lorsque Watkin Tench comparait la largeur du Nepean à Penrith, à celle de la Tamise, à Putney, il ne pouvait s'imaginer que 200 ans plus tard, on assisterait aux mêmes courses d'avirons qu'à Oxford et Cambridge. En effet, une fois par an les lycéens des grands établissements scolaires privés de Sydney se réunissent ici, pour participer à la compétition inter-écoles appelée « Head of the River ». Cet événement attire beaucoup de monde.

# 5
# Les environs de Sydney

Les excursions d'une journée dans les environs de Sydney donnent un aperçu de la beauté de la région. Les Blue Mountains, la côte sud, les parcs nationaux qui entourent la ville ainsi que la côte centrale font partie des sites inoubliables qu'il faut visiter. Chaque région a ses propres caractéristiques. Au sud de Sydney, les falaises spectaculaires et les contreforts des montagnes à l'ouest de Wollongong offrent des vues superbes. Les **Blue Mountains,** avec leurs vallées encaissées, leurs cascades et leurs villages au charme d'une autre époque, sont splendides. Les vapeurs bleues qui s'échappent des forêts de gommiers donnent au bush un aspect féerique. Les parcs nationaux qui bordent la **Broken Bay** (ou Baie Broken) et les rives du fleuve **Hawkesbury,** sont sillonnés de chemins de randonnée et parcourus de petites rivières où l'on peut pêcher ou faire du canotage. Au nord, les belles plages désertes de la côte centrale, habitée par de nombreux citadins, sont facilement accessibles par le train.

Il existe une grande variété de tours organisés qui permettent de visiter ces régions. Mais on peut aussi opter pour les transports publics, qui sont très confortables et réguliers. Le train vous emmène en peu de temps vers les Blue Mountains, au sud de Wollongong et vers la côte centrale. Néanmoins, pour une plus grande autonomie, vous pouvez louer une voiture, afin de pouvoir explorer la région selon votre gré. Il faut compter à peu près 200 ou 250 km aller-retour pour faire un circuit touristique englobant tous ces sites.

## ATTRACTIONS TOURISTIQUES SUR LA CÔTE SUD

**\*\*\* Sublime Point :** l'un des plus beaux panoramas de la côte est : une vue de Wollongong et de l'océan Pacifique.
**\*\*\* Stanwell Tops :** une vue merveilleuse de la côte ; des falaises d'où se jettent d'intrépides parapentistes.
**\*\* Garie Beach :** un petit paradis encadré par un parc national.
**\*\* Audley Weir (« barrage ») :** un endroit idéal pour le pique-nique, le canotage et la détente.

**Page ci-contre :** *les Blue Mountains, majestueuses, s'étendent à l'ouest de Sydney.*

### TEMPÉRATURES DE L'OCÉAN

Les climats de Sydney et de Wollongong sont semblables, mais il n'en est pas de même pour la température de l'eau. Les courants qui réchauffent l'océan dans la région de Sydney permettent de se baigner à partir de fin novembre. Ils atteignent Wollongong seulement fin janvier. L'eau fait souvent 2° de moins sur la côte Illawarra. Toutefois, les étés sont très agréables dans les deux régions, et les hivers ne sont jamais très rudes.

**Page ci-contre :** *le parc national Royal s'étend au sud de Sydney. Ses plages sont tranquilles et isolées. Ses excellents chemins de randonnée permettent aux visiteurs de découvrir une flore très variée, notamment les* Gymea lilies *(des sortes de clochettes) qui fleurissaient un peu partout dans la région de Sydney avant l'arrivée des Européens.*
**À droite :** *le lagon de Wattamolla est un endroit de baignade rêvé pour les enfants. Les surfers préfèrent la plage de Garie.*

### LE PARC NATIONAL ROYAL ★★★

Lorsque l'on quitte Sydney pour se diriger vers le sud, on arrive au parc national Royal, dont la superficie est d'environ 15 000 ha. Situé à 40 km de Sydney, il offre une grande diversité de paysages : une côte sauvage, des plages isolées comme celles de Garie et de Wattamolla, des fleuves paisibles où l'on peut se baigner, comme le Hacking ou l'Engadine. C'est le premier parc national d'Australie et le deuxième parc mondial (après celui de Yellowstone aux États-Unis). Depuis plus d'un siècle, sa végétation est protégée et il fait le bonheur de tous les visiteurs en quête de repos et de calme.

Ce parc a été nommé « parc national Royal » quand la reine Élizabeth II le visita lors d'un séjour en Australie en 1954.

On peut y accéder en prenant le Princes Highway ; quitter cette autoroute à 2,5 km au sud de Sutherland (à 27 km de Sydney). Il est possible d'entrer dans le parc en empruntant un ferry qui relie **Cronulla** à Bundeena. Il part toutes les demi-heures entre 5 h et 19 h, tous les jours. Il passe par **Port Hacking** et arrive dans la petite ville de Bundeena (dont la population est de 2 400 habitants) située à l'extrémité nord du parc.

### Retour à la nature

Les *Sydneysiders* viennent y pêcher, faire du surf, se baigner, faire des randonnées, ou pique-niquer. **Wattamolla** ou **Garie**

ont des lagons idéaux pour les enfants ou les nageurs débutants. Le lac d'*Audley Weir* est propice au canotage, et pour les pique-niques ; ses berges verdoyantes sont très attirantes. Les randonneurs suivent les pistes qui traversent le bush. Elles ont été balisées dans les années 1920. Ainsi, quelles que soient vos aspirations, le parc national ne vous décèvra pas, car c'est une sorte de paradis des loisirs.

Il est conseillé de prendre le ferry à **Bundeena** et parcourir un kilomètre de bush jusqu'à **Jibbon Point** pour admirer les nombreuses peintures rupestres aborigènes. De magnifiques animaux aquatiques ornent les rochers de la région. Ces dessins rupestres ont été effectués il y a plus d'un siècle par les tribus indigènes, dont les ancêtres avaient vécu dans cet endroit idyllique pendant plus de 40 000 ans, jusqu'à l'arrivée des colons. À l'horizon se dessinent les gratte-ciel de Sydney, qui soulignent la rapide expansion européenne dans cette région.

### Le chemin côtier ★★★

Le **Coast Track** suit le littoral pendant 30 km, de Bundeena jusqu'à Otford. Il longe les falaises de grès, descend vers Little Marley et la plage de Marley, Wattamolla, **Burning Palms** et Garie.

Ce circuit est trop long pour une seule journée. Les randonneurs les plus aguerris le font en deux jours. Les autres se contentent de parcourir la première section. Ils atteignent les plages de Marley et de Little Marley, et reviennent le soir à Bundeena.

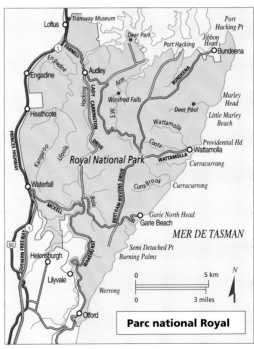

**Parc national Royal**

**Ci-dessus :** *les surfers sont toujours à la recherche des meilleures vagues. Beaucoup d'entre eux les trouvent au parc national Royal, qui oppose ses hautes falaises à l'infatigable océan Pacifique.*

En hiver et au printemps, la végétation est très abondante. Les fleurs sauvages dégagent un parfum délicat mêlé à celui de la mer. Le spectacle des pointes rocheuses érodées, aux formes étranges, les plages de sable et le chant des oiseaux vous transportent dans un univers magique et inoubliable.

### La plage de Marley *

Comme beaucoup de plages de Sydney, Marley est réputée pour être dangereuse, même pour les nageurs les plus expérimentés. Celle de **Little Marley,** au sud, est beaucoup moins risquée. Elle possède un endroit idéal pour la pêche et un terrain de camping agrémenté d'un ruisseau. Un chemin de randonnée mène au plateau et redescend vers Bundeena.

### Flore et faune

En passant par les marécages d'eau douce, on peut observer les *Christmas Bells* (cloches de Noël), des petites fleurs rouges et jaunes qui s'ouvrent de décembre à février. On trouve aussi des *needlebush,* des *bottlebrush* (sortes de goupillons d'un rouge vif), des *pink swamp-heath* (bruyères roses des marais), des *coral heath* (bruyères corail) et des *paperbark shrub* (des buissons à écorce très fine).

Au milieu des zones boisées, les ornithologues amateurs peuvent découvrir les oiseaux indigènes : le *wedge-tailed eagle* (un aigle à longue queue), le *black-shouldered kite,* le *white-naped honeyeater* (un petit oiseau qui se nourrit de nectar de fleur), le *crimson rosella* (un perroquet rouge), le *pee-wee,* le *red wattlebird,* le *sulphur-crested cockatoo* (le cacatoès à huppe jaune) et le *bronzewing.* Si vous êtes très patient, vous pourrez apercevoir un *bower-bird* (oiseau-satin ou oiseau à berceaux, qui attire sa femelle en plaçant des objets bleus – fleurs, plastique, etc. – sous un rameau qu'il a courbé en

---

**LES JARDINS ET LES PARCS DE SYDNEY**

La ville de Sydney possède 356 ha de parcs et de jardins. Les parcs nationaux qui l'entourent s'étendent sur plus de 5 700 ha.
Au sud de la ville, le Royal National Park (14 969 ha), qui fut créé en 1879, est le premier parc national australien et le deuxième au monde, après le Yellowstone aux États-Unis.

forme d'arceau) et le *lyrebird* (l'oiseau-lyre dont les plumes colorées ont la forme d'une lyre). Les marécages et les lagons hébergent le *azure kingfisher* (un genre de martin-pêcheur), le *welcome swallow* (une sorte d'hirondelle), le *new Holland honeyeater* et le *Pacific black duck* (un canard noir).

Parmi les mammifères indigènes se trouvent le *bush-rat* (un petit rongeur), le *bandicoot* (un genre de petit lièvre qui se nourrit d'insectes), le *ringtail possum* (un opossum à queue en anneaux), le *dunnart*, des lézards divers et des *goannas* (sortes d'iguanes). Les randonneurs doivent être vigilants car les serpents sont nombreux et certains sont venimeux. De manière générale, les chemins étant assez fréquentés, il est peu probable que les visiteurs rencontrent cette faune typique du bush australien.

### Plages

Les plages de **Garie,** de **Burning Palms** et de **Wattamolla** sont magnifiques. Burning Palms possède un coin très prisé par les pêcheurs. Mais toute la côte qui longe le parc Royal est réputée pour la profusion de ses poissons. Les rares maisons qui bordent ces plages ont bénéficié d'une autorisation spéciale des autorités du parc.

### Hacking River *

Les rives sud du lac d'Audley Weir accueillent de nombreux pique-niqueurs. À côté du barrage construit sur le Hacking River, se trouve un petit port où l'on peut louer des bateaux et déjeuner sur l'herbe, à l'abri des saules pleureurs. Il est très agréable de s'y arrêter, loin de l'agitation de la ville.

### AU SUD DE WOLLONGONG
#### Stanwell Tops ***

Après avoir traversé le parc national Royal, on passe par **Otford** et l'on arrive à **Stanwell Tops.** La vue y est superbe. Par temps clair, on peut apercevoir Wollongong. Les pointes rocheuses de **Coalcliff, Scarborough** et **Clifton** donnent au paysage côtier toute sa beauté.

La **Coast Road** (route côtière) de Stanwell Tops à Wollongong est très diversifiée. Elle commence par une vue panoramique de la côte est, puis continue par une succession

---

**LE PARC NATIONAL ROYAL**

En 1879, le premier parc national de l'Australie fut établi sur 72 000 ha au sud de Port Hacking. Le projet initial du Gouvernement était de donner aux citadins la possibilité de venir se détendre et goûter aux joies de la nature. Cette année-là, un politicien déclara que « cette réserve devait permettre aux habitants de Sydney d'échapper à la pollution – physique, mentale et sociale – de cette cité trop compacte ». En 1880, on doubla la superficie du parc et, en 1934, Myles Dunphy, le célèbre défenseur de l'environnement de la Nouvelle-Galles du Sud, persuada le gouvernement d'ajouter 520 ha de terrain situés autour de Garawarra. Le parc prit le nom de « Royal National Park » lorsque la reine le visita en 1954.

d'anciens villages miniers accrochés au bord de la falaise, atteint Thirroul, où l'écrivain anglais D.H. Lawrence a passé quelques mois pour rédiger son célèbre roman *Kangourou,* et se poursuit vers Bulli avant de parvenir à la troisième ville de la Nouvelle-Galles du Sud.

Pour aller de Sydney à Stanley, on peut faire le trajet en voiture ou prendre le train à Central Station, descendre à **Stanwell Park** et marcher jusqu'à **Bald Hill.**

**Ci-dessus :** *une vue plongeante sur la côte près de Stanwell Park. Lawrence Hargrave, le pionnier de l'aviation australienne, y fit ses premières expériences en aérodynamique.*

### Stanwell Park *

Stanwell Park est célèbre comme berceau de l'aviation australienne. **Lawrence Hargrave,** l'inventeur du cerf-volant cellulaire et le père de l'aviation moderne, est originaire de Bald Hill. En haut de la falaise, se trouve un monument à la gloire de ce grand inventeur. Les passionnés de parapente se jettent régulièrement de ce belvédère pour survoler le Pacifique et atterrir sur la plage située juste au-dessous.

### Sublime Point ***

Les visiteurs qui désirent aller directement à Wollongong peuvent emprunter le Southern Freeway. Cette autoroute passe par Sublime Point, un point de vue spectaculaire sur le Haut Illawarra, ainsi que sur toute la ville de Wollongong.

### WOLLONGONG **

L'excursion d'une journée à Wollongong permet d'apprécier les magnifiques jardins botaniques de la ville, mais aussi les plages et les endroits propices à la pêche de la région. L'histoire de cette ville industrielle est liée à l'exploitation de ses mines de charbon. Le port est très intéressant à visiter.

Dirigez-vous vers Appin et suivez les panneaux indiquant **Mount Keira.** Prenez Queen Elizabeth Drive vers **Mount Keira Lookout.** Vous aurez un panorama de l'uni-

---

**LE PORT DE WOLLONGONG**

Le port de Wollongong était autrefois le centre économique de la région. Durant les années 1820, il servait de liaison maritime avec Sydney. Un village se développa autour du port. Ce village prit le nom aborigène de Wollongong, qui signifie « regarde, voici le monstre ». En 1829, les soldats du 40ᵉ régiment s'étaient installés près du port. Jusqu'à la construction de la voie ferrée qui relia Sydney à Wollongong dans les années 1880, toute la production de l'Illawarra passait par ce port.

versité et des jardins botaniques situés juste au-dessous. Si l'on descend Mount Keira Road, on arrive à l'ancien village minier de Mount Keira, de l'autre côté du Southern Freeway. On débouche directement dans Crown Street, la rue principale de Wollongong.

On peut aussi décider de contourner Mount Keira Lookout et descendre vers Mount Ousley, quitter l'autoroute, suivre les panneaux menant à l'université et continuer vers les jardins botaniques.

### Les jardins botaniques de Wollongong ★★

En vingt ans, cette petite ville a réussi à aménager un superbe jardin botanique qui abrite une vaste collection de plantes et d'arbres endémiques. Des petits lacs, des chemins de promenade et des endroits ombragés en font un endroit rêvé pour le pique-nique. Pour les passionnés d'architecture, la visite de **Gleniffer Brae** s'impose. Les cheminées en briques sont de véritables œuvres d'art.

### North Wollongong Beach ★★

Si vous traversez les jardins botaniques, vous arrivez à **North Wollongong Beach.** Cette plage est certainement aussi belle que celles de Sydney. Le Novotel, un hôtel très luxueux doté d'un excellent restaurant, vous offre une très belle vue de l'océan. Au nord de l'hôtel se trouve **The Lagoon,** un autre restaurant qui sert une cuisine méditerranéenne. Il est situé près d'un lagon, derrière la plage. Entre Northbeach et The Lagoon, le **Stuart Park** accueille de nombreux pique-niqueurs dans un site conçu à leur intention, avec des barbecues, des tables et des bancs.

**Ci-dessous :** *Wollongong offre une grande variété de plages superbes. North Beach est la plus fréquentée car elle se situe près de la ville et dispose de plusieurs restaurants de qualité.*

### Le port Wollongong ★★

Au sud de North Beach s'étend un des rares ports naturels de la côte de la Nouvelle-Galles du Sud. Il fut jadis le centre de toute l'activité économique de la

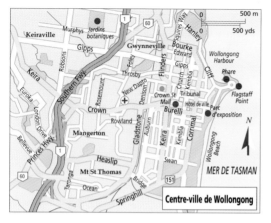

Centre-ville de Wollongong

région de l'Illawarra. Son importance a considérablement diminué depuis le développement du chemin de fer. Il abrite désormais une flottille de bateaux de pêche.

### Port Kembla ★

Wollongong est un grand centre industriel. Lorsque l'on descend vers **Port Kembla Terminal, o**n mesure l'ampleur de son activité. Les pelleteuses gigantesques déversent des tonnes de charbon sur des convoyeurs qui l'acheminent vers les bateaux amarrés au port. Il est transporté ensuite vers les grandes centrales électriques et les aciéries d'Asie, d'Europe et d'Amérique du Nord.

*Ci-dessous : le port de Wollongong était autrefois au cœur du transport maritime du charbon de la région. Les barges partaient livrer leur cargaison à Sydney. Aujourd'hui, il est devenu un petit port de pêche et de plaisance.*

La vue du sud de la digue permet de se rendre compte de l'importance de l'activité du port et de l'immense aciérie BHP qui n'est pas ouverte au public. C'est l'un des seuls endroits au monde où un complexe industriel de cette envergure se trouve à proximité d'un joli port de plaisance et à quelques mètres des surfers et des pêcheurs.

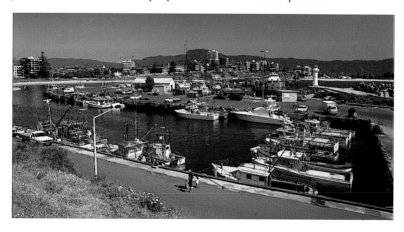

### Crown Street *

De Port Kembla, on retourne vers Wollongong. **Crown Street,** la rue principale, présente des boutiques modernes, des bâtiments historiques ainsi que des cafés et des restaurants.

**Wollongong City Tourist Information,** l'office du tourisme, se situe 87 Crown Street. Il met à votre disposition des cartes qui vous aident à repérer les sites intéressants comme le Court House (palais de justice), construit en 1884, et St Michael's Church of England, une église bâtie en 1859, qui se dresse au sommet de la montée de Church Street.

## LE SUD-OUEST
### Bowral **

Au sud-ouest de Sydney se trouvent les villes historiques de Bowral et de Berrima. Située à 126 km de Sydney, la région de **Bowral** fut

exploré en 1798. Le lieutenant John Oxley y installa la première colonie en 1815. Il fut rejoint par le docteur Charles Throsby. En 1825, Oxley s'appropria 2 000 ha de terrain dont une partie, Mont Gibraltar ou **The Gib,** est un escarpement rocheux élevé que les aborigènes appellent *Bowral* (« hauteur »). Pour accéder au sommet de « The Gib », il faut prendre Mittagong Road puis Oxley Drive. On parcourt une petite route tortueuse qui traverse le bush, pour finalement découvrir un superbe panorama de Bowral et de Mittagong.

Dans les années 1920, cette région était fréquentée par les citadins venant de Sydney en quête de fraîcheur. On construisit des pensions de famille et des hôtels comme le **Craigieburn** (juste avant le centre-ville, tournez à droite sur Mittagong Road, passez sous la voie de chemin de fer). Cet hôtel a conservé son élégance début de siècle et le charme de la Belle Époque, avec ses larges vérandas et ses superbes jardins paysagers.

*Ci-dessus : Wollongong est la troisième ville de la Nouvelle-Galles du Sud. Crown Street, la rue principale se caractérise par ses arcades.*

---

**PRINCIPALES ATTRACTIONS DU SUD-OUEST**

**\*\*\* Berrima :** une ville du XIX<sup>e</sup> siècle qui a préservé son atmosphère.
**\*\* Milton Park :** on y trouve un hôtel luxueux et des demeures imposantes qui datent des années 1920.
**\*\* Bradman Museum :** c'est un musée à la gloire de Bradman, le célèbre joueur de cricket australien.

### Le festival des tulipes **

Le « Tulip Time Festival » de Bowral est très renommé. Il a lieu pendant les vacances scolaires de septembre. Les visiteurs

*Ci-dessus : le Sud-Ouest est une région montagneuse parsemée de petites villes très pittoresques et très paisibles.*

découvrent une profusion de massifs colorés dans les parcs publics et peuvent se promener dans certains jardins privés qui ouvrent leurs portes à ce moment de l'année. Ces magnifiques propriétés ont gardé leur caractère anglais du siècle dernier. Les **Corbett Gardens** accueillent, tous les ans, des milliers de visiteurs. Tout près de là se dresse **St Jude's Church of England**, avec son presbytère construit en 1880. Au nord-est de Boolwey Street et de Bong Bong Street se trouve la première maison construite dans ce village. Il s'agit d'une cabane en bois qui appartenait à un aborigène nommé Adam.

## Bradman Museum ★★

Bowley Street mène à un musée et à un terrain de cricket dédiés à Donald Bradman, l'un des plus grands sportifs australiens. Celui-ci passa son enfance à Bowral et, dès l'âge de 12 ans, marquait plus d'une centaine de points pour son club de cricket. Il habita, pendant trois ans, 20 Glebe Road, en face du terrain qui porte son nom. Le Bradman Museum, qui abrite de nombreux objets lui ayant appartenu, a été inauguré par ce grand champion en 1989. Il était alors âgé de quatre-vingts ans.

## Milton Park ★★

À six kilomètres de Bowral, sur la route de Robertson, se trouve Milton Park, une

**Côte sud**

Parc national des Blue Mountains · Warragamba · Liverpool · Bankstown · 5 · SYDNEY · Werombi · 89 · Sutherland · Lac Burragorang · Camden · Campbelltown · The Oaks · 31 · P.N. Heathcote · Waterfall · P.N. Royal · Oakdale · Picton · Douglas Park · Appin · Stanwell Park · Scarborough · Tahmoor · Wilton · Coledale · Buxton · Thirroul · MER DE · 89 · Bargo · Woonona · 60 · Corrimal · TASMAN · Hilltop · Colo Vale · Unanderra · Wollongong · Berrima · Mittagong · Port Kembla · Bowral · Parc national Macquarie · Lac Illawarra · 115 · Windang · 31 · Robertson · Warilla · Moss Vale · 48 · Shellharbour · Jamberoo · Minnamurra · Bundanoon · Kiama · Kangaroo Valley · Gerringong · Parc national Morton · Berry

N

0   15 km
0   10 miles

vaste résidence construite en 1910 par Anthony Horden, le
propriétaire d'un grand magasin de Sydney. Cette belle
demeure a été ensuite aménagée en hôtel. Ses couleurs
pastel et son mobilier moderne lui ont donné un nouvel
éclat, et les jardins sont restés aussi somptueux qu'ils
l'étaient à l'origine.

Dans le jardin, le salon d'été est devenu un excellent
restaurant, « The Garden Room », qui donne au visiteur
une idée du luxe dans lequel vivaient les familles aisées de
cette époque. C'est un endroit très reposant qui offre une
vue splendide.

### Berrima ★★★

De retour à Bowral, on traverse la voie ferrée près de la
gare, on tourne à gauche et on suit une route tortueuse
jusqu'à Berrima.

C'est une petite ville qui est dotée de nombreux sites
historiques. Le *Two Foot Tour of Historic Berrima* vous permet de visiter à pied cette petite ville, en vous donnant
quelques suggestions sur une vingtaine d'endroits intéressants à voir. Ces bâtiments sont situés dans un périmètre
restreint autour de la place du marché.

---

**RESTAURATION DANS
LA RÉGION DU SUD-OUEST**

On trouve de nombreux
restaurants. Les plus connus sont
les suivants :
• **Milton Park,** Horderns Road,
Bowral, tél. : (02) 4861-1522. Ce
restaurant propose une cuisine
française excellente.
• **The Catch,** Bong Bong Street,
Bowral, tél. : (02) 4862-2677. Les
fruits de mer y sont délicieux.
• **Thonburi,** Bowral Road,
Mittagong, tél. : (02) 4872-1511,
un élégant restaurant thaïlandais.

---

**À gauche :** *Bowral, située
dans le Sud-Ouest, est la
ville où le champion de
cricket australien,
Don Bradman, a vécu
pendant son enfance.*

*Ci-dessus : Berrima est l'un des villages les mieux conservés de la Nouvelle-Galles du Sud. Ses plus anciens bâtiments datent du début du XIXᵉ siècle.*

---

### CLIMAT DU SUD-OUEST

Dans le Sud-Ouest, il fait jusqu'à 5° de moins qu'à Sydney. Dans les années 1920, de nombreux citadins allaient passer les mois d'été dans les collines du Sud-Ouest, à l'abri de la chaleur humide de la ville et pour y trouver la fraîcheur. Les quatre saisons y sont bien définies. En avril et en mai, les arbres prennent leurs couleurs automnales et il neige très légèrement certains hivers.

---

Le site de Berrima fut repéré en 1832. Deux ans plus tard, on envoya des forçats sur les rives de Wingecarribee River. Les pierres qu'ils taillèrent servirent à construire la prison. En 1838, on érigea le Palais de justice, et dans les années 1840, la ville se développa rapidement. La construction de nombreux hôtels et auberges laissait augurer que ce lieu deviendrait le centre urbain de la région.

Toutefois, deux événements contribuèrent à ruiner ce gros village en pleine expansion : d'une part, en 1850, la cour fédérale fut transférée à Goulburn et, d'autre part, une dizaine d'années plus tard, la voie ferrée, nouvellement établie, passait à une bonne distance de son centre. En 1914, la population ne comptait plus que 80 habitants. L'économie de Berrima s'organisa alors autour de l'industrie touristique.

Aujourd'hui, elle nous offre la chance de pouvoir contempler une architecture coloniale authentique, préservée par le National Trust. Les bâtiments les plus étonnants sont la **Gaol** (la prison la plus ancienne d'Australie encore utilisée) et la **Court House** (Palais de justice), qui se trouvent au milieu de la ville, ainsi que le **Surveyor-General Inn** (la plus vieille auberge du continent toujours en activité).

La fontaine Bull's Head (« tête de taureau ») est située derrière la prison. C'est une curieuse construction de métal que l'on a juxtaposée au mur de la prison en 1877. L'eau qui coule de la gouttière sur le toit de la prison ressort de la bouche de l'animal pour remplir un abreuvoir.

De toutes les auberges de Berrima, seul le Surveyor-General Inn a gardé sa fonction d'origine. Les autres – **Taylor's Crown Inn** et **Colonial Inn** – ont été aménagées en restaurants et boutiques de cadeaux. Ce sont des endroits intéressants à visiter.

Les restaurants, les cafés, les salons de thé et les petites boutiques de souvenirs sont très nombreux à Berrima. Son parc est un endroit idéal pour les pique-niques.

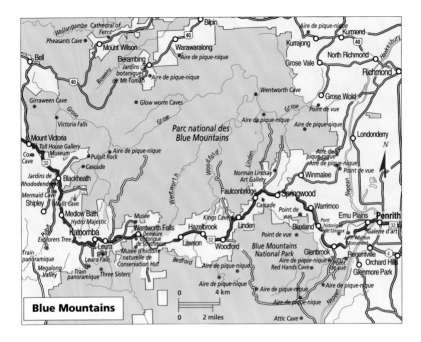

**Blue Mountains**

## Les Blue Mountains et les environs
### Blue Mountains ★★★

Les Blue Mountains, à proximité de Sydney, font partie des plus grandes attractions touristiques de la Nouvelle-Galles du Sud. Par temps clair, on les voit du haut des points culminants de la ville. Les vapeurs bleutées qui s'échappent des forêts de gommiers sont caractéristiques de cette région montagneuse.

Les premiers explorateurs pensaient qu'en suivant les cours d'eau jusqu'à leur source, ils parviendraient à franchir ces montagnes. Cependant, à chaque fois qu'ils remontaient un fleuve, ils se heurtaient à une chute de quelques centaines de mètres qui dévalait une paroi abrupte impossible à gravir. Il fallut attendre jusqu'en 1813 pour que les Blue Mountains soient enfin traversées.

Les Blue Mountains ont un charme très spécifique. Dans les années 1920 et 1930, cette région était déjà très appréciée des habitants de Sydney qui, en été, venaient y chercher un

---

**BLUE MOUNTAINS :**
**SITES TOURISTIQUES**

**Katoomba :** les vues de la Jamison Valley et de la Grose Valley sont spectaculaires. Les endroits les plus visités sont :
**★★★ Three Sisters :** au bord de la Jamison Valley.
**★★★ Skyway :** un téléphérique qui passe au-dessus d'une gorge et offre de superbes vues.
**★★★** Les chutes de **Govett's Leap** sont impressionnantes.
**★★★ Jenolan Caves :** les grottes de Jenolan sont les plus connues d'Australie.
**★★ La maison de Norman Lindsay :** une demeure magnifique, située à Springwood, qui a abrité le célèbre peintre australien.

**Ci-dessus :** *dans l'entre-deux-guerres déjà, les* Sydneysiders *prenaient le train pour venir séjourner à l'hôtel Hydro Majestic situé à Medlow Bath, dans les Blue Mountains. Aujourd'hui, cet hôtel, très bien entretenu, accueille toujours de nombreux visiteurs.*

---

### CLIMAT DES BLUE MOUNTAINS

L'été dans les Blue Mountains contraste avec la chaleur humide de Sydney.
La température varie d'un endroit à un autre.
À Richmond il peut faire froid, l'hiver peut même être aussi froid qu'à Canberra.
En général, plus on s'enfonce vers le centre des montagnes, plus il fait frais.
Il neige légèrement l'hiver, à Katoomba, à Mont Victoria et à Blackheath.
À Glenbrook, les étés sont parfois très chauds.

---

peu de fraîcheur. Les hôtels comme **The Carrigton** à Katoomba, Cooper's **Grand Hotel** et l'**Hydro Majestic** à **Medlow Bath** étaient des refuges permettant de savourer les week-ends en famille ou de se dérober aux regards indiscrets de la petite société de Sydney.

En hiver, il neige parfois très légèrement à **Katoomba,** situé à plus de 1 000 m d'altitude. L'air y est très vivifiant.

### Les sites à visiter

Les vues des sommets des Blue Mountains, comme à Katoomba, sont spectaculaires. Govett's Leap, les Three Sisters et Jenolan Caves sont des sites magnifiques. Le bleu grisâtre qui couvre les montagnes, les saisons bien définies, les quelques flocons de neige qui, en hiver, parviennent à peine à couvrir le sol, l'air tonifiant de la montagne et les petits villages pittoresques parsemés le long de la voie ferrée donnent à cette région toute sa beauté.

Si vous ne partez que pour une journée, allez à Springwood visiter la galerie et le musée Norman Lindsay. Prenez la direction de Katoomba et allez admirer le paysage au *Sublime Point Lookout.* Passez ensuite par le petit centre de shopping de Leura et, arrivés à Katoomba, prenez un thé au Paragon Café avant d'aller contempler un autre panorama du belvédère qui donne sur les Three Sisters. Si vous avez le temps, faites un tour dans le téléphérique et le train panoramique.

### Glenbrook

Situé à 64 km de Sydney, **Glenbrook** est un point de départ idéal pour une randonnée dans les montagnes, car le **Tourist Information Centre**, (tél. : (02) 4739-6266) sur le Great Western Highway, vous propose des brochures et des cartes ainsi que tous les renseignements qui vous sont nécessaires.

### Springwood *

**Springwood**, à 74 km de Sydney, est une petite ville charmante qui fut très fréquentée dans les années 1880, lorsque les Blue Mountains commençaient à être à la mode. À dix minutes de la gare, le **Fairy Dell** est un endroit couvert de bruyères et de plantes indigènes dans un environnement paisible de bush australien.

### La maison de Norman Lindsay **

Entre Springwood et **Faulconbridge** se trouve la très jolie maison-atelier du peintre Norman Lindsay, où l'on a aménagé une galerie et un musée. Le fameux artiste australien vint y habiter en 1911 et accueillit chez lui de nombreux artistes et écrivains.

Le National Trust, qui possède désormais cette propriété, a conservé l'aspect que Lindsay avait donné à son domaine. Ses sculptures qui ornent le jardin créent une

**Ci-dessous :** *le téléphérique est l'une des attractions les plus appréciées de Katoomba. Il traverse une gorge située près de cette ville. Émotions fortes garanties pour ceux qui regarderont la vallée à travers les planches disjointes de la cabine.*

atmosphère que l'on retrouve dans les peintures de l'artiste. Au printemps, le parfum de la superbe glycine en fleurs fait le charme du jardin. L'exposition des œuvres de Lindsay comprend des dessins humoristiques, des aquarelles, des peintures à l'huile, des maquettes de bateaux, des gravures, des dessins à la plume et au crayon, des illustrations, des exemplaires de ses romans, des meubles et des objets en terre cuite finement décorés.

### Leura ***

*Ci-dessous : près de Katoomba se dressent des formations rocheuses impressionnantes : les Three Sisters (« trois sœurs »). C'est un site très connu, qui attire beaucoup de visiteurs, photographes amateurs et alpinistes.*

**Leura** se situe près de Faulconbridge. À l'est de la petite ville, une route mène au **Sublime point Lookout.** Ce belvédère offre la plus belle vue des Blue Mountains. **Everglades,** qui appartient au National Trust, est environnée d'un jardin de 5 ha renfermant des plantes sauvages du bush australien, des azalées, des rhododendrons, des jonquilles et des campanules.

Cette petite ville s'organise autour d'un *mall* bordé de cafés, restaurants, salons de thé et boutiques de souvenirs.

*Walking Tracks in the Leura Area* est une brochure éditée par le National Parks and Wildlife Service. Elle vous donne une description de cinq randonnées à faire dans la région ainsi que des cartes détaillées.

**Cliff Drive,** entre Leura et Katoomba, est une route panoramique qui permet de contempler des vallées de Megalong et de Jamison, des **Three Sisters,** du **Ruined Castle** et du **Mont Solitary.** Le long de cet itinéraire, se trouvent d'agréables aires de pique-nique.

### Katoomba ***

La visite de la petite ville de **Katoomba,** au cœur des Blue Mountains, doit commencer par **Echo Point,** où l'on peut admirer un paysage spectaculaire. Le **Blue Mountains Tourist Centre** est

**À gauche :** *de nombreuses chutes d'eau dévalent les falaises abruptes des Blue Mountains, pour s'acheminer dans les vallées avoisinantes. Les Wentworth Falls sont splendides.*

un office du tourisme qui met à votre disposition les cartes et les brochures dont vous avez besoin pour votre séjour.

Echo Point offre des vues magnifiques du Mont Solitary, du Ruined Castle, de Jamison Valley et des Three Sisters. Cet escarpement rocheux, les chutes de Katoomba et les cascades de Leura sont illuminés la nuit, ne manquez pas ce spectacle.

La traversée de Jamison Valley dans le **Katoomba Scenic Skyway** n'est pas recommandée aux âmes sensibles. Ce téléphérique, le premier de l'hémisphère sud, fut installé en 1958. Il est suspendu à un câble de 275 m au-dessus de la vallée et surplombe les chutes de Katoomba ainsi qu'Orphan Rock.

À proximité du Scenic Skyway se trouve le **Scenic Railway**, un train panoramique qui descend la Jamison Valley. Ce train fut construit en 1880 pour transporter les travailleurs dans les mines de charbon. Le trajet de 230 m suit une pente de 45°. C'est la voie ferrée la plus abrupte du monde.

Au bout de Katoomba Street, la rue principale de cette petite ville, se trouve le **Paragon Café** où l'on peut déguster de délicieux chocolats faits maison, des gâteaux et du thé excellents. Ce café art-déco, qui date des années 1930, fait partie du National Trust.

---

**HENRY PARKES**

Sur la route entre Springwood et Faulconbridge se trouve Jackson Park, avec sa très belle allée bordée de chênes : The Avenue of Oaks (« l'avenue des chênes »). Joseph Jackson, un membre du Parlement de la Nouvelle-Galles du Sud, fit don de ce parc à la municipalité en 1933. Il désirait que chaque Premier ministre australien, ou son représentant le plus proche, vienne y planter un chêne. Grand admirateur de Henry Parkes, Jackson dédia cette Avenue of Oaks au fondateur de la fédération des États d'Australie. Le quai de la gare de cette petite ville aurait été construit spécialement pour Parkes, qui avait emménagé à Faulconbridge House en 1877.

**À droite :** *la maison de Norman Lindsay à Springwood est une des attractions touristiques des Blue Mountains.*

### Medlow Bath *

Le village de **Medlow Bath** se trouve à 6 km à l'ouest de Katoomba. Il est célèbre grâce à l'**Hydro Majestic,** un hôtel qui s'était donné pour vocation, à l'origine, de faire bénéficier ses clients des bienfaits de la montagne. À la fin du XIXᵉ siècle, un homme d'affaires de Sydney, Mark Foy, fit construire cet établissement hydrothérapique. Il prônait des régimes stricts et une cure de produits frais qu'il faisait apporter de Megalong Valley. Aujourd'hui, l'Hydro Majestic est un hôtel haut de gamme, un vestige d'une autre époque.

### Blackheath **

À 5 km de Medlow Bath se trouve **Blackheath,** une ville réputée pour ses superbes rhododendrons, sa vue magnifique de **Govett's Leap,** ses randonnées au bord de Grose Valley et ses nombreuses pensions de famille très luxueuses.

Si vous arrivez en période de floraison, les rhododendrons envahissent les jardins de couleurs éclatantes et vous pourriez penser que les habitants de Blackheath ne peuvent faire pousser autre chose. Le **Rhododendron Garden** à Bacchante Street (ouvert de 9 h à 17 h, tous les jours) associe fleurs endémiques et plus de 1 500 rhododendrons. Pour les véritables amateurs de ces fleurs, la visite de ces jardins s'impose.

## À L'OUEST DES BLUE MOUNTAINS
### Jenolan Caves ***

À 164 km de Sydney, au nord du parc national de Kanangra Boyd, se trouve un ensemble de grottes très intéressantes à visiter. **Jenolan Caves** (les grottes de Jenolan) se situent dans une vallée de la Cordillière australienne.

On y accède par une route tortueuse qui sillonne le flanc d'une colline verdoyante. En bas de la vallée coule une petite rivière qui forme un étang d'un bleu profond. En face, la grande arche **(Grand Arch)** est la plus grande grotte à ciel ouvert d'Australie. Elle fait 24 m de haut, 55 m de large et 127 m de long. Les visiteurs pénètrent d'abord dans cet espace immense pour arriver à **Caves House,** une autre grotte située juste en dessous.

Jenolan est un ensemble de 22 grottes majeures. 9 d'entre elles (Imperial, Chifley, Jubilee, Lucas, Skeleton, River, Orient, Temple of Baal, et Ribbon) sont obscures et se visitent sous la conduite d'un guide. Les formations calcaires, qui constituent un décor impressionnant, portent des noms symboliques tels que « Gem of the West » (merveille de l'Ouest), « Gabriel's Wing » (l'aile de Gabriel), « Lot's Wife » (la femme de Loth), et « Bishop and Three Sisters » (l'évêque et les trois sœurs).

Les randonnées dans la région des grottes de Jenolan, qui s'étend sur 2 430 ha, permettent de découvrir une flore et une faune exceptionnelles. On peut y voir des oiseaux-lyres, des wallabies, des kangourous et, plus rarement, des wombats.

Pour pouvoir apprécier pleinement cette découverte, il est conseillé de passer quelques jours dans ces charmants hôtels qui ont gardé l'atmosphère d'une autre époque. Pour obtenir tous les renseignements concernant votre séjour, appelez **Jenolan Caves House,** tél. : (02) 6359-3304.

**Ci-dessous :** *Jenolan Caves se trouvent au-delà des Blue Mountains. Les nombreuses grottes, nichées dans le sous-sol calcaire d'une vallée éloignée des centres urbains, font l'objet d'une excursion fascinante. De Sydney, il faut compter au moins une journée pour pouvoir apprécier la beauté de ces mystérieux paysages souterrains.*

*Ci-dessus : Windsor est l'une des cinq villes fondées par le gouverneur Macquarie. Elle se trouve au bord de la plaine de Hawkesbury, à l'ouest de Sydney. De nombreux bâtiments du XIXᵉ siècle, un observatoire historique et un cimetière fascinant jalonnent son paysage urbain.*

## WINDSOR ★★

Située à 57 km au nord-est de Sydney, Windsor est la troisième colonie d'Australie, après Sydney Cove et Parramatta. Cette petite ville comprend de nombreux bâtiments historiques du XIXᵉ siècle, l'église St Matthews, le Palais de justice, l'observatoire Tebbutt et le vieux cimetière.

### Thompson Square ★★

Le **Hawkesbury Museum and Tourist Centre** est situé à Thompson Square. C'est un musée et un office du tourisme qui met à la disposition des visiteurs des cartes, des brochures et des suggestions de randonnées. Le musée présente une collection d'objets artisanaux aborigènes, une documentation détaillée de la colonisation européenne de la région et du développement de la ville depuis 1810, ainsi que l'histoire de l'exploitation du fleuve depuis le XIXᵉ siècle. Le bâtiment qui abrite le musée date de 1820. Il servit d'auberge avant de devenir le siège du journal *The Australian,* entre 1871 et 1899. Le centre est ouvert tous les jours de 10 h à 16 h.

**Thompson Square** est un endroit central où il est conseillé de commencer la visite de Windsor. C'est un exemple architectural caractéristique de l'influence de Macquarie sur la petite société encore désorganisée de cette époque. Le **Macquarie Arms Hotel,** près de George Street, fut construit en 1815. C'est l'un des plus vieux pubs d'Australie encore en activité. Sur l'un des murs de l'établissement, on peut voir une marque indiquant le niveau atteint par les inondations de 1867. Plus loin sur George Street, se trouvent l'ancienne **CBC Bank,** le **bureau de poste,** et **Mrs Copes Cottage.**

**Centre-ville de Windsor**

## St Matthew's Anglican Church ★★

Parmi les bâtiments de la ville, **St Matthews** est une des fiertés de la petite ville de Windsor. La « cathédrale de Hawkesbury », comme on l'appelle, a été construite par des bagnards, sous la direction de Francis Greenway, lui-même un ancien forçat devenu architecte. La construction dura trois ans (de 1817 à 1820). L'immense clocher carré est visible de très loin.

Les pierres tombales du petit cimetière, situé juste à côté de l'église, donne une idée de la vie de cette bourgade au XIXe siècle.

La tombe la plus ancienne est celle d'Andrew Thompson. Elle date de 1810. Ce forçat, condamné à 14 ans de bagne pour avoir volé un tissu d'une valeur de 100 F, était arrivé en Australie en 1792. Il fut le premier à être émancipé et devint un magistrat très apprécié. La place centrale de Windsor porte son nom.

## Windsor Court House ★

Le Palais de justice se trouve au bout de Macquarie Street, en direction de Sydney, juste à gauche après le tournant qui mène vers le pont, au coin de Court Street et de Pitt Street. Ce bâtiment en pierre de grès fut réalisé par Francis Greenway en 1822.

Il fut magnifiquement restauré en 1960. Il abrite un très beau portrait de Lachlan Macquarie.

## Observatoire John Tebbutt★★

En descendant Court Street et North Street, on tourne à droite dans Palmer Street et l'on arrive à l'**observatoire John Tebbutt.**

Tebbutt était un gentleman-farmer et un grand amateur d'astrologie né à Windsor en 1834. Il hérita de la maison que son père avait fait bâtir dans Palmer Street, et y ajouta deux observatoires, un en bois et un en brique, que l'on peut encore visiter.

Cette maison appartient toujours à la famille Tebbutt qui fut à l'honneur en 1984, lorsqu'on décida d'illustrer le billet de 100 $A avec le portrait du célèbre aïeul. Pour tous renseignements, appelez au : (02) 4577-3120.

---

**LES PREMIÈRES ANNÉES DE WINDSOR**

Le Gouverneur Macquarie, grand entrepreneur et idéaliste, fonda cinq villes dans la vallée du fleuve Hawkesbury : Windsor, Richmond, Castlereagh, Wilberforce et Pitt Town. Windsor est la seule à posséder un monument à la gloire du grand homme. Le site de cette ville fut découvert en 1789 par le gouverneur Phillip. Bien que cette région fût très isolée, la richesse de la plaine alluviale de Hawkesbury convainquit les colons d'y établir des exploitations agricoles afin d'approvisionner la petite communauté de Sydney Cove.

**Ci-dessus :** *au nord de Sydney, le Hawkesbury River se jette dans l'océan en formant un large bassin qui sépare le quartier des affaires de la côte centrale (Central Coast). C'est un excellent endroit pour faire de la voile. On peut amarrer les bateaux à Coal and Candle Creek. À l'embouchure du fleuve se dresse l'imposante île Lion.*

## LE PARC NATIONAL DE KU-RING-GAI CHASE **

Le parc national de Ku-ring-gai Chase est situé au nord de la cité. Les banlieues s'étendent au-delà des limites du parc, de l'autre côté de **HawkesburyRiver** et de **Broken Bay,** sur la côte centrale.

Le parc national de Ku-ring-gai Chase est un lieu idéal pour s'évader de l'animation de Sydney. Les chemins qui le sillonnent vous emmènent sur des pointes rocheuses, des petites plages pittoresques, à travers un paysage de bush australien qui n'a pas changé depuis des milliers d'années.

Ce parc s'étend sur 14 658 ha. Il est situé à 24 km du centre-ville, sur le sol calcaire et argileux du bassin de la région de Sydney. L'histoire géologique de ce parc remonte à 200 millions d'années, lorsque la région était alors recouverte par la mer. Cinquante millions d'années plus tard, les rochers formés par les dépôts sablonneux furent soulevés et ce bouleversement provoqua la formation de fleuves et de ruisseaux qui coulaient vers l'océan en creusant des vallées profondes. Lorsque après l'ère glaciaire (environ 600 millions d'années) la terre se réchauffa, les vallées furent inondées et formèrent les étendues de Broken Bay, de **Pittwater,** de **Berowra Waters,** et les anses de **Coal and Candle Creek,** de **Smith's Creek,** de **Cowan Creek** et de **Berowra Waters.**

Le sous-sol de la région de Sydney est le résultat de cette évolution géologique. Par conséquent, il se compose essentiellement de grès, recouvert de terre sablonneuse : un terrain propice au développement des forêts d'eucalyptus. Malgré la pauvreté de ce sol, le parc de Ku-ring-gai Chase comprend plus de 900 espèces de plantes endémiques et une faune très diverse.

### Faune et flore

La flore consiste en une grande variété d'eucalyptus (entre autres, le gommier rouge de Sydney et le *scribbly gum* dont le tronc est creusé par les insectes), d'angophoras, de banksia, d'acacias et de fleurs sauvages de toutes sortes. Dans les petites vallées, on trouve des essences utilisées pour l'ébénisterie, des conifères et des *water gums*.

En hiver et au printemps, le parc est jonché de fleurs sauvages multicolores : les waratahs, d'un rouge violent, les boronias roses et pourpres, les *pea flowers* d'un jaune éclatant, les bruyères roses et blanches. C'est un des rares endroits proches de Sydney où l'on peut admirer une flore aussi variée et si spectaculaire.

Les Dhurag habitaient cette région avant la colonisation. Le parc de Ku-ring-gai Chase est riche en art aborigène et en vestiges d'une culture qui fut terriblement affectée par l'invasion des Européens.

### Bobbin Head **

Pour atteindre **Bobbin Head,** il faut emprunter le Pacific Highway et, après Hornsby, on arrive à Mont Colah. On prend ensuite Ku-ring-gai-Chase Road. Mais on peut aussi suivre Bobbin Head Road qui part du Pacific Highway près de Pymble.

Bobbin Head est la région la plus développée du parc. On peut louer des bateaux au Halvorsen Boat Sheds, faire un pique-nique sur des aires aménagées, avec des barbecues, des tables et des bancs.

*Ci-dessus : on peut louer une embarcation à Brooklyn Marina, un petit port de plaisance situé sur Hawkesbury River. C'est un moyen très agréable de visiter le parc de Ku-ring-gai Chase.*

Le **Kalkari Visitors Centre,** à 1,5 km de Bobbin Head sur Ku-ring-gai Chase Road, est un centre d'information qui renseigne le visiteur sur la faune et la flore de la région, ainsi que sur toutes les randonnées à faire dans le parc. Les chemins sont tous balisés de couleurs et de panneaux très clairement indiqués.

Lorsque vous pénétrez dans le parc par Bobbin Head Road, vous passez par Lady Davidson Rehabilitation Hospital, un hôpital qui a accueilli les victimes

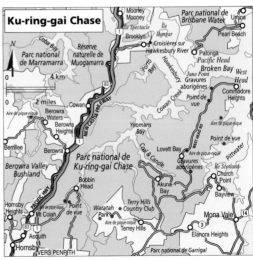

**À NE PAS MANQUER
SUR HAWKESBURY RIVER**

*** West Head :** une route
magnifique à travers le bush
et une vue inoubliable.
** Coal and Candle Creek :**
un endroit idéal pour
le pique-nique.
* De West Head à The
Basin :** une agréable
promenade à travers un très
beau paysage pour arriver
à une aire de pique-nique
sur les bords de Pittwater.

des deux Guerres mondiales. Le **Sphinx War Memorial** est un monument dédié aux soldats australiens et néo-zélandais (Anzacs) de la Première Guerre mondiale qui se sont arrêtés en Égypte avant d'être envoyés à Gallipoli pour se battre contre les Turcs. Ce Sphinx, sculpté dans du grès, se dresse à l'entrée de la **Bobbin Head Track,** le chemin qui traverse le bush et qui arrive à Bobbin Head en passant par Cowan Creek.

### Coal and Candle Creek **

L'autre grande entrée du parc national de Ku-ring-gai Chase se trouve sur Mona Vale Road et passe par Terrey Hills. Elle permet au visiteur de faire le tour par **Coal and Candle Creek** ou de passer par West Head. Le trajet de Coal and Candle Creek traverse une zone de bush avant de descendre les pentes abruptes qui bordent Broken Bay.

### West Head ***

C'est un endroit spectaculaire du parc national de Ku-ring-gai Chase. Le belvédère, que l'on appelle aussi **Commodore Heights,** offre une vue de l'embouchure de Hawkesbury River, de l'île Lion (qui ressemble à un énorme lion allongé), de **Patonga** et de la presqu'île de sable qui sépare Palm Beach de la pointe de **Barrenjoey.** C'est un des rares points de vue qui permettent d'observer une telle diversité de paysages. On peut ensuite descendre vers **Pittwater** (les plages sont parfaites pour les pique-niques). Pour les randonneurs confirmés, il est possible de poursuivre son chemin autour de **The Basin,** une large étendue d'eau protégée de Pittwater par un étroit chenal, et prendre le ferry pour **Palm Beach.**

### LA CÔTE CENTRALE **

Dans les années 1940 et 1950, la côte centrale (Central Coast) est devenue une grande banlieue de Sydney, grâce aux trains réguliers qui la reliaient au centre ville. Le développement de cette région s'est effectué lentement. Broken Bay était très isolée, et le seul moyen d'atteindre rapidement la ville était le trajet en bateau, soit par Barrenjoey soit en contournant la côte jusqu'à la baie de Sydney. En 1889, l'édification d'un pont sur le Hawkesbury (Hawkesbury Bridge) permit de relier directement Brisbane Water à Sydney. Cette région commença

**COAL AND CANDLE CREEK**

Dans *The Companion Guide to Sydney,* Ruth Park conseille aux visiteurs de Coal and Candle Creek de « prendre un bâton pour fourrager autour des rochers et peut-être déloger un iguane aplati sur une pierre réchauffée par le soleil ou une petite grenouille avec une moue de vieux pasteur grincheux, que l'on peut confondre avec l'écorce d'un arbre ». Si vous n'avez pas la chance de voir un de ces animaux, vous aurez toujours plaisir à pique-niquer dans cette région.

alors à se développer. Dans les années qui suivirent la Deuxième Guerre mondiale, on construisit l'autoroute Sydney-Newcastle qui passait par Calga. La ligne de chemin de fer fut électrifiée, et cette petite province paisible devint une région très convoitée par des citadins en mal de tranquillité.

### Old Sydney Town **

Située près de Brisbane Water, **Old Sydney Town** est un endroit très intéressant à visiter. Les brochures touristiques la présentent ainsi : « C'est là que tout a commencé. Une reconstitution très ludique de l'origine de l'Australie, il y a 200 ans. On y trouve des bâtiments anciens : un moulin à vent, une église, une prison, des petits *cottages* couverts de toits en chaume ou en galets, qui abritent des artisans, et l'observatoire du lieutenant Dawes. Tout y est représenté le plus fidèlement possible... C'est un musée vivant, habité par des personnages en costumes d'époque qui vaquent aux mêmes occupations que leurs ancêtres du XIX<sup>e</sup> siècle. »

Les « acteurs » de Old Sydney Town, qui recréent l'atmosphère du village de Sydney à ses débuts, présentent des scènes de l'ancien temps. On peut assister à des condamnations au pilori ou à des coups de fouet, après un jugement auquel le visiteur participe. C'est une introduc-

**Ci-dessous :** *les nombreuses petites criques et les baies qui bordent Broken Bay (l'embouchure du fleuve Hawkesbury) sont équipées de ports de plaisance et d'embarcadères. Le petit port d'Akuna Bay accueille des marins de tous les coins du monde.*

**Ci-dessus :** *le coucher de soleil sur Broken Bay met en valeur la presqu'île surmontée du phare de Barrenjoey.*

tion très vivante à l'histoire de la colonie et aux premiers déboires des Européens dans ce coin reculé du monde.

### Gosford et les environs

Après Old Sydney Town, on arrive à **Gosford,** une petite ville moderne avec des arcades commerciales et des supermarchés. Elle est reliée à Sydney par un train rapide qui circule régulièrement entre les deux villes. C'est le centre d'une région urbaine en développement. **Avoca Beach,** près de Gosford, est une plage magnifique qui attire les citadins. Le lieu est un endroit propice au pique-nique, au surf, au jogging ou aux bains de soleil.

Lorsqu'on quitte Avoca et qu'on se dirige vers Kincumer, on prend **Scenic Drive,** une route circulaire qui passe par le **parc national de Bouddi,** une petite région sauvage de 1 148 ha. C'est un endroit idéal pour les pique-niques, le surf

---

**À VOIR SUR LA CÔTE CENTRALE**

**\*\*\* Parc national de Brisbane Water :** un des sites les plus importants de la Nouvelle-Galles du Sud où l'on peut admirer des peintures et gravures rupestres aborigènes.

**\*\* Old Sydney Town :** une reconstitution de la vie de Sydney au xixᵉ siècle. Une attraction touristique très appréciée.

**\*\* Parc national de Bouddi :** une côte sauvage qui offre des vues superbes de Sydney.

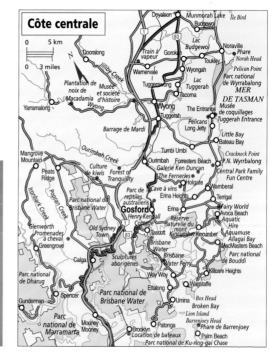

À **gauche :** *Old Sydney Town, une reconstitution de Sydney au XIX^e siècle, à quelques kilomètres de Gosford, sur la côte centrale. Les visiteurs participent à la vie d'autrefois : circuits en chariots tirés par des chevaux, condamnations au fouet...*

**Ci-dessous :** *les plages de la côte nord de Broken Bay offrent une atmosphère très paisible que l'on trouve rarement sur les plages proches de Sydney. Patonga est restée un village balnéaire à l'abri du développement urbain.*

et les randonnées. Les vues de la côte vers le **phare de Barrenjoey** (Barrenjoey Lighthouse) à Palm Beach, et de Sydney, à l'horizon, sont spectaculaires. Le parc national de Bouddi, qui comprend 283 ha de côte, est le premier parc national de la Nouvelle-Galles du Sud qui présente des paysages marins aussi riches : des falaises splendides, un grand nombre de plages isolées balayées par le vent, des régions boisées et quelques forêts pluviales.

Après avoir traversé le pont « **Rip Bridge** », on arrive à **Pearl Beach,** une plage où des gens très fortunés ont choisi de passer leurs moments de détente. C'est un petit paradis luxueux au milieu du bush. Le centre de shopping comprend des boutiques où l'on trouve des griffes prestigieuses et de nombreux cafés avec terrasse. À proximité de ce quartier élégant se trouve une plage paisible bordée de gommiers.

## LE CLIMAT
### DE LA CÔTE CENTRALE

Depuis les années 1950, de nombreux habitants de Sydney ont choisi de passer leurs vacances, ou même leur retraite, sur la côte centrale. Leur choix est très souvent dicté par des considérations climatiques : la température y est un peu plus élevée. Pourtant cette différence est minime, puisqu'elle n'est que de 2° en été comme en hiver. Les *Sydneysiders* s'orientent aujourd'hui encore plus vers le nord à la recherche d'un climat bien chaud.

**Woy Woy** se trouve près de Pearl Beach, à l'intérieur des terres. Moins importante que Gosford, cette petite ville attire de nombreux citadins. On y trouve des mails très modernes, des supermarchés et une banlieue en pleine expansion.

De Pearl Beach à Woy Woy, la route passe par le côté sud-est du **parc national de Brisbane Water.** Ce parc de 8 242 ha comprend des rochers de grès escarpés, de grandes étendues d'eucalyptus, et quelques forêts pluviales.

Les gravures rupestres aborigènes de Bulgandry sont les plus belles de la région de Sydney. Le chemin qui mène au site est recouvert de planches en bois, ce qui en facilite l'accès. Si vous faites des randonnées dans le parc, vous pourrez certainement découvrir d'autres dessins intéressants car on en compte plusieurs centaines dans la région. Surtout, il est important de ne pas les toucher.

Située entre Sydney et Newcastle, la région du **lac Tuggerah**, lieu de villégiature par excellence, est la plus fréquentée de la Nouvelle-Galles du Sud. Sa population de 100 000 habitants double en été. Elle se compose de 82 km$^2$ de lac (le lac Munmorah, le lac Budgewoi et le lac Tuggerah) et de 121 km de plages sur l'océan.

Les activités offertes sur ce littoral sont variées : les baignades dans les lacs et dans l'océan, le surf et la voile, le

**Ci-dessous :** *la plage ensoleillée de Terrigal, sur la côte centrale.*

**Ci-contre :** The Entrance,
*sur la côte centrale,*
*est une ville de vacances*
*qui offre les plaisirs de l'océan*
*et la beauté des lacs.*

canotage, les randonnées dans les réserves naturelles, comme la Watagan Mountain Forest, où l'on découvre une faune et une flore uniques, et les chemins forestiers bordés de très vieux gommiers rouges. Les petites villes de Wyong, The Entrance et Toukley sont très pittoresques, avec leurs marchés du dimanche, leurs boutiques d'artisanat, leurs galeries de peinture, et leurs magasins de souvenirs.

À **The Entrance,** le Tuggerah Lakes Tourist Association, situé à Marine Parade, est un office du tourisme qui vous donne des renseignements précieux pour votre séjour dans la région. Il met à votre disposition des cartes détaillées et un guide très utile, le *Tuggerah Lakes Information Guide.* Cette association organise des tours au *Norah Head Lighthouse* (le phare de la pointe de Norah). Elle vous renseigne aussi sur les activités diverses telles que les croisières sur le lac Macquarie et la visite de Vales Point Power Station.

L'industrie touristique de The Entrance est très développée. Tout y est organisé pour satisfaire les vacanciers, qui peuvent, par exemple, nourrir les pélicans, à Memorial Park (tous les jours à 15 h 30) ou profiter de l'immense **Tuggerah Beach,** une plage de 8 km de long, au bout de laquelle se trouve une piscine creusée dans les rochers. Il y a aussi l'**Aqua Slide,** un gigantesque toboggan qui descend dans le lac, le **Wonders of the Sea,** où l'on peut voir des coraux et de différents coquillages. Enfin, pour le squash et le tennis, de nombreux courts sont mis à la disposition des vacanciers.

La côte centrale ne manque assurément pas d'attraits. Le seul embarras sera celui de choisir parmi tant de loisirs qui procurent repos et agrément.

**Page suivante :** *Darling Harbour.*

**Page suivante :** *Darling Harbour.*

### BELLBIRDS PRÈS DE GOSFORD

La région de Gosford est célèbre pour ses *bellbirds*, des oiseaux dont le chant ressemble à des tintements de clochettes.

Des générations d'enfants australiens ont appris « Bellbirds », un poème de Henry Kendall, qui vécut à Gosford de 1873 à 1875 et trouva son inspiration dans le chant de ces oiseaux. Il évoque la fraîcheur des gorges et le bruit de la cascade, les rayons du soleil qui pénètrent à travers les branches du cèdre et du sycomore pour atteindre les fleurs.

Ce paysage serein est animé par l'écho des notes distinctes des bellbirds qui résonnent dans le silence. *The notes of the bell-birds are running and ringing.*

# Sydney en un coup d'œil

### Sydney

Le printemps est très court (septembre à novembre) mais à cette époque les parcs et les jardins fleurissent en abondance.
Les azalées, les rhododendrons, les jacarandas agrémentent le paysage urbain de touches de couleurs vives. L'été, de décembre à février, il peut faire très chaud et humide, mais les nombreuses plages de Sydney sont là pour vous rafraîchir.

### Côte sud

La température de la côte sud est un peu moins élevée qu'à Sydney.

### Sud-Ouest

Du 30 septembre au 15 octobre, les arbres sont en fleurs et le Tulip Time Festival donne à la petite ville de Bowral ses couleurs du **printemps.** C'est, avec l'**automne,** la meilleure saison pour visiter cette région vallonnée du Sud. La température est d'environ 5° plus basse qu'à Sydney.

### Blue Mountains

Cette région montagneuse procure au visiteur de nombreuses activités tout au long de l'année. En hiver, on célèbre le Yulefest et au printemps les montagnes présentent une superbe palette de couleurs. Le Leura Garden Festival (octobre) et le Rhododendron Festival (novembre) attirent beaucoup de monde. Les randonnées dans le bush sont très agréables en été et en automne. La température dans les Blue Mountains est de 5 à 7° de moins qu'à Sydney. Il neige parfois en hiver.

### Régions de l'Ouest

Avec les plages du Nord et les banlieues sud, les régions de l'Ouest font partie de l'agglomération de Sydney.

### Côte centrale

Les températures de la côte centrale sont légèrement plus élevées qu'à Sydney. L'été est la saison idéale pour profiter des nombreuses plages de cette région.

### Sydney

Le terminal international de **Kingsford Smith Airport** se trouve à 5 km du terminal des lignes intérieures et à 9 km du centre-ville. Une navette, **Airport Express Buses** (vert et or), part toutes les 20 mn des deux terminaux. Elle dessert Kings Cross et la plupart des hôtels principaux. Le **Kingsford Smith Airport Bus** opère toutes les demi-heures. Appelez le (02) 9667-0663 pour demander un arrêt spécial devant votre hôtel.
Les **taxis** sont très nombreux et vous emmènent où vous le désirez.
Les principales sociétés de **location de voitures** (car rental) sont représentées à l'aéroport. Adresses de quelques compagnies aériennes :
**Air New Zealand**, 5 Elizabeth Street, tél. : (02) 9937-5111.
**Ansett Australia,** Oxford Square, Darlinghurst, tél. : (02) 13-1300.
**British Airways,** 201-207 Kent Street, tél. : (02) 9258-3300.
**Cathay Pacific,** Level 6, 8 Spring Street, tél. : 13-1747.
**Japan Airlines,** 201 Sussex Street, tél. : (02) 9272-1111.
**KLM Royal Dutch Airlines,**

5 Elizabeth Street, tél. : (02) 9231-6333.
**Malaysia Airlines,** 16 Spring Street, tél. : 13-2627.
**QUANTAS,** au coin de Hunter Street et de Phillip Street, tél. : 13-1313.
**Singapore Airlines,** 17 Bridge Street, tél. : 13-1011.
**Thai Airways International,** 75-77 Pitt Street, tél. : 13-1960.
**United Airlines,** 10 Barrack Street, tél. : 13-1777.

### Côte sud

Pour découvrir la côte sud, le train est le moyen le plus économique. Il existe un train rapide qui part de Central Station (la gare principale de Sydney). Un omnibus vous offre un des plus beaux circuits d'Australie car il longe le littoral et passe par le parc national Royal. Contactez Cityrail pour les horaires, tél. : 13-1500).

### Sud-Ouest

Le train s'arrête à toutes les gares de cette région sud. Contactez Cityrail. Deux sociétés de cars proposent des excursions d'une journée dans les Highlands (voir Visites et Excursions p. 120). Vous pouvez aussi louer une voiture pour plus d'autonomie.

### Blue Mountains

Le train est le moyen le moins cher et le plus intéressant pour aller dans les Blue Mountains. Vérifiez les horaires avec Cityrail, tél. : 13-1500. Cityrail gère le service du Blue Mountains Explorer Bus qui passe par les endroits à ne pas manquer. La plupart des sociétés

# Sydney en un coup d'œil

de cars proposent des excursions d'une, de deux ou de trois journées dans les montagnes, qui incluent l'hébergement.

### Les banlieues de l'Ouest

La plupart des transports publics desservent les banlieues de l'Ouest (Parramatta, Penrith, Windsor).

### Côte centrale

Un service de trains réguliers relie Gosford à Sydney. Vérifiez les horaires avec Cityrail. Vous avez aussi la possibilité de louer une voiture. Des compagnies de cars organisent des excursions d'une journée dans la région.

MOYENS DE TRANSPORT À SYDNEY

Il existe trois moyens de transport publics à Sydney : les trains, les bus et les ferries. Tous sont très bien indiqués. Pour tous renseignements, appelez le 13-1500. Les ferries ont leur propre ligne de renseignements téléphonique : (02) 9256-4670). Les horaires pour ces trois services sont disponibles au bureau d'information à Circular Quay. Le **Sydney Explorer,** un car touristique qui fait le tour de Sydney en s'arrêtant aux sites importants, part toutes les 20 mn. Les arrêts sont signalés par des panneaux verts et rouges. Les cars **Greyhound** qui traversent le continent partent du **Greyhound Pioneer Coach Terminal,** Central Railway Station, Eddy Avenue, tél. : 13-2030. Les trains de banlieue sont à la fois rapides et réguliers. Ils sont clairement indiqués par un

système de couleurs. Mais il est encore plus agréable d'utiliser le service de ferries qui relie aussi les banlieues situées près de la baie.

Les entreprises de **location de voitures** (car rental) sont représentées dans la plupart des hôtels et ont des prix très compétitifs. Sydney a un très bon service de trains et de bus dont il faut bien comprendre le système de fonctionnement.

Les **trains** partent de **Central Railway Station**. Le train passe par le centre-ville et s'arrête aux stations de Town Hall, Wynyard, Circular Quay, Martin Place, St James et Museum. La ligne qui dessert les banlieues de l'Est (Kings Cross, Bondi Junction...) part de Martin Place. La ligne du North Shore (au nord du pont), qui passe par North Sydney, St Leonards et Chatswood, et continue vers Hornsby, assure la correspondance avec la côte centrale, Newcastle et la limite du Queensland. Les trains qui partent de Central Railway Station desservent toutes les autres banlieues de la cité : Parramatta (cette ligne passe par les banlieues de l'Ouest et du Nord-Ouest pour rejoindre la ligne North Shore à Hornsby), la région du Sud-Ouest, les Blue Mountains, et Wollongong. Les trains qui desservent toutes les villes de la Nouvelle-Galles du Sud et l'Indian Pacific rail, qui traverse le continent jusqu'à Perth, partent de Central Railway Station. De nombreux sites de Sydney ne sont accessibles que par bus :

Bondi Beach, et toutes les plages au sud des Sydney Heads (les pointes de Sydney à l'entrée de la baie). Les autobus qui desservent les plages du Nord partent de Wynyard et de Manly, et vont aussi à Avalon, Newport et Palm Beach. On peut accéder aux banlieues qui bordent la baie (Hunters Hill, Mosman, Cremorne et Neutral Bay) en bus ou en ferry. Pour visiter la ville, les billets combinés trains-bus sont un moyen moins onéreux que les taxis et les tours organisés. Pour tous renseignements, téléphonez au 13-1500.

**Ferries :** on dit souvent que les ferries de Sydney sont les meilleurs transports publics du monde. Cette remarque est sans doute un peu exagérée, mais il est vrai que, pour un prix modique, on peut admirer des vues magnifiques. Tous les ferries partent de Circular Quay. Ils relient la cité aux banlieues qui bordent la baie : Watsons Bay (seulement le week-end) ; Manly, par le ferry et le JetCat (hydrofoil) ; Mosman, Taronga Park Zoo, Neutral Bay, Cremorne, Balmain, Hunters Hill, Parramatta, Meadowbank, Darling Harbour et McMahons Point, par un service quotidien régulier assuré par le State Transit ; Kirribilli, Lavender Bay et McMahons Point, par un service privé. Les trajets de Circular Quay à **Taronga Zoo** et à **Manly** sont les plus fascinants. Le zoo est situé sur un coteau qui descend vers la baie, et **Athol Park** permet de superbes randonnées à travers un paysage de brousse. Pour aller

# Sydney en un coup d'œil

à Manly, le ferry passe par North et South Heads. Ce trajet est jalonné de vues magnifiques de la baie. Pour tous renseignements sur le transport public à Sydney, appelez le : 13-1500.

## HÉBERGEMENT

### Sydney

De nombreux hôtels, motels et résidences hôtelières sont disponibles à Sydney.
Le quartier des affaires offre de grandes facilités d'hébergement, mais il faut préciser que les banlieues sont beaucoup plus tranquilles et sont aussi très bien pourvues en excellents hôtels. De plus, le transport public, très efficace, permet de relier facilement ces banlieues à la ville.

#### HÔTELS DE LUXE
**Hyde Park Plaza Hotel,** College Street, tél. : (02) 9331-6933, fax : (02) 9331-6022. Situé dans le centre-ville.
**Hotel Inter-Continental,** Macquarie Street, tél. : (02) 9230-0200, fax : (02) 9240-1240. Une partie de cet hôtel du centre-ville est située dans un immeuble historique de 1851.
**Parkroyal Darling Harbour,** Day Street, tél. : (02) 9261-4444, fax : (02) 9261-8766.
En face de Darling Harbour.
Un hôtel de qualité où le service est excellent.
**Sydney Regent Hotel,** George Street, tél. : (02) 9238-0000, fax : 9251-2851. Cet hôtel est très luxueux et les vues de Sydney sont superbes.

**Novotel Sydney on Darling Harbour,** 100 Murray Street, tél. : (02) 9934-0000, fax : (02) 9934-0099. Un hôtel luxueux au cœur de Darling Harbour.
**Harbourside Serviced Apartments,** 24 Henry Lawson Ave, Mc Mahons Point, tél. : (02) 9963-4200, fax : (02) 9922-7998.
Ces appartements sont très bien équipés et se trouvent à sept minutes du centre-ville en ferry.

#### HÔTELS À PRIX MODÉRÉS
**The Cambridge,** Riley Street, tél. : (02) 9212-2111, fax : (02) 9281-1981. Bien situé, prix raisonnables et très bien équipé.
**Hyde Park Inn,** 271 Elizabeth Street, tél. : (02) 9264-6001, fax : (02) 9261-8691. Bien situé (proche du centre-ville), confortable, c'est un très bon motel de famille.

#### BUDGET
**Harbour Rocks Hotel,** Herrington Street, tél. : (02) 9251-8944, fax : (02) 9251-8900. Il est situé dans le quartier des Rocks.

#### AUBERGES DE JEUNESSE
**Youth Hostels Travel Centre,** 422 Kent Street, tél. : (02) 9261-1111.

### Côte sud
#### HÔTEL DE LUXE
**Novotel Northbeach Hotel,** 2 Cliff Road, North Wollongong, tél. (02) 4226-3555, fax : (02) 4229-1705. Un hôtel très luxueux situé près de la plage.

#### HÔTELS À PRIX MODÉRÉS
**City Pacific Hotel,** 112 Burelli Street, Wollongong, tél. : (02) 4229-7444, fax : (02) 4228-0552. Il est situé dans le centre de Wollongong.
**Boat Harbour Motel,** Wilson Street, Wollongong, tél. : (02) 4228-9166, fax : (02) 4226-4878. Un hôtel confortable situé en face de la plage.

#### BUDGET
**Golden Pacific North Beach,** 16 Pleasant Avenue, North Wollongong, tél. : (02) 4226-3000, fax : (02) 4228-3853. C'est un motel bien situé qui dispose aussi d'appartements équipés de cuisines.

### Sud-Ouest
#### HÔTELS DE LUXE
**Milton Park,** Horderns Road, Bowral, tél. : (02) 4861-1522, fax : (02) 4861-4716. Huit hectares de jardins entourent ce splendide hôtel.
**Berida Manor Country Hotel,** 6 David Street, Bowral, tél. : (02) 4861-1177 fax : (02) 4861-1219. Situé au centre de Bowral, cet hôtel a un charme d'une autre époque et un confort moderne.

#### HÔTELS À PRIX MODÉRÉS
**Ivy Tudor Motor Inn,** au coin de Moss Vale Road et de Links Road, Bowral, tél. : (02) 4861-2911. Il est situé près du centre-ville et ses prix sont raisonnables.

## Sydney en un coup d'œil

**Berrima Bakehouse Motel,** au coin de Wingecarribee Street et de Hume Highway, Berrima, tél. : (02) 4877-1381, fax : (02) 4877-1047. Un motel de famille situé au centre de Berrima.

### BUDGET
**White Horse Inn,** Market Place, Berrima, tél. (02) 4877-1204. Il est très bien situé.

### Blue Mountains
Dans les Blue Mountains, l'hébergement varie du cinq-étoiles très élégant aux gîtes très rudimentaires, en passant par la pension de famille. Le **Visitors Information Centre** à Glenbrook dispose d'une liste très complète de tous les services disponibles dans les Blue Mountains. Ce bureau de renseignements vous aidera dans votre choix.

### HÔTELS DE LUXE
**Lilianfels Blue Mountains Resort,** Lilianfels Avenue, Katoomba, tél. : (02) 4780 80-1200, fax : (02) 4780-1300. Ce complexe offre un grand choix d'activités dans un cadre magnifique.
**Fairmont Resort,** 1 Sublime Point Road, Leura, tél. (02) 4782-5222, fax : (02) 4784-1685. Un complexe adapté aux besoins des familles, situé dans un vaste domaine équipé d'un terrain de golf, d'une piscine et de courts de tennis.
**Leura House,** 7 Britain Road, Leura, tél. : (02) 4784-2035. L'immeuble, construit en 1880, a été aménagé en élégante pension de famille.

### HÔTELS À PRIX MODÉRÉS
**The Claredon Motor Inn,** 68 Lurline Road, Katoomba, tél. : (02) 4782-1322. Un petit motel confortable situé au cœur de Katoomba.
**Mount Victoria Motor Inn,** Station Street, Mount Victoria, tél. : (02) 4787-1320. Un bon motel de famille dans cette petite ville de montagne.
**Norwood Guesthouse,** 209 Great Western Highway, Blackheath, tél. : (02) 4787-8568. Une petite pension de famille située dans un bâtiment historique de 1888. Un cadre pittoresque et un accueil chaleureux.

### BUDGET
**Echo Point Motor Inn,** Echo Point, Katoomba, tél. : (02) 4782-2088, fax : (02) 4782-5546. Confortable, bien situé, ce motel est à quelques mètres des Three Sisters.
**Hotel Imperial,** Station Street, Mount Victoria, tél. : (02) 4787-1233. Un ancien hôtel dont l'atmosphère et l'accueil rappellent une autre époque.

### L'Ouest
**Panthers Resort,** Mulgoa Road, Penrith, tél. : (02) 4721-7700, fax : (02) 4721-8032. Un vaste complexe sur le fleuve Nepean, équipé d'un motel et d'un cottage, et offrant de nombreuses activités pour les familles.
**Parkroyal Parramatta,** 30 Phillips Street, Parramatta, tél. : (02) 9689-3333, fax : (02) 9689-3959. Un motel luxueux, très confortable et bien situé.

**Hawkesbury Lodge,** 61 Richmond Road, Windsor, tél. : (02) 4577-4222. C'est un excellent motel, très bien situé pour qui veut explorer le village.

### Côte centrale
### HÔTELS DE LUXE
**Holiday Inn Crown Plaza,** Pine Tree Lane, Terrigal, tél. : (02) 4384-9111, fax : (02) 4384-5798. Situé près de la plage de Terrigal, cet hôtel de luxe assure à ses clients un séjour très agréable.
**Apollo Country Resort,** 871 The Entrance Road, Wamberal, tél. : (02) 4385-2099, fax : (02) 4385-2035. Un complexe hôtelier très bien équipé.

### HÔTELS À PRIX MODÉRÉS
**El Lago Waters Resort,** 41 The Entrance, tél. : (02) 4332-3955, fax : (02) 4332-6188. Un motel de famille situé en face des lacs Tuggerah.
**The Palms Motor Inn,** 7 Moore Street, West Gosford, tél. : (02) 4323-1211, fax : (02) 4323-4558. Un hôtel bien situé, dans un environnement très calme, d'où l'on a facilement accès à Gosford.
**Villa Sorgenti,** Kowara Road, West Gosford, tél. : (02) 4340-1205, fax : (02) 4340-2758. Un petit complexe niché au cœur du bush australien.

### BUDGET
**Pinehurst Holiday Villas,** 11 The Entrance Road, The Entrance, tél. : (02) 4332-2002.

# Sydney en un coup d'œil

Des appartements très bien équipés, situés en bordure du lac.
**Rambler Motor Inn,** 73 Pacific Highway, Gosford West,
tél. : (02) 4324-6577,
fax : (02) 4325-1780. Il est situé au centre de Gosford.

## Cafés et restaurants

### Sydney
Vous trouverez pratiquement les cuisines du monde entier en ville et dans les environs.
**Oxford Street,** de Hyde Park à Paddington, offre une concentration d'excellents restaurants.
**Glebe Point Road,** à Glebe : une rue bordée d'une quarantaine de restaurants.
**King Street,** Newtown. Les restaurants qui jalonnent la rue principale sont assez récents.
Il existe plusieurs magazines facilitant le choix de restaurants à Sydney. *This Week in Sydney* est publié par le NSW Government Tourist Travel Centre. Le *Sydney Morning Herald Cheap Eats* est un excellent guide des restaurants bon marché et des snack-bars.
De nombreux restaurants ne possèdent pas de licence pour servir de l'alcool. On les appelle « BYO » *(Bring your Own)*. Vous devez apporter votre bouteille de vin et la faire déboucher par le restaurateur pour une somme modeste : le *cork charge*.

**Bayswater Brasserie,** Kings Cross, tél. : (02) 9357-217. C'est une brasserie très élégante où le service est parfait.
**Doyle on the Beach,** Watsons Bay, tél. : (02) 9337-2077. Un restaurant

spécialisé dans les fruits de mer. Il est situé près d'une plage sur la baie.
**Bennelong,** Sydney Opera House, tél. : (02) 9250-7578. L'un des sites les plus renommés de Sydney vous permet d'apprécier un dîner de style.
**Imperial Peking Harbourside Restaurant,** Circular Quay West, tél. : (02) 9247-7073. Le restaurant chinois le mieux situé de Sydney, offre une vue de l'opéra.
**John Cadman,** jetée n° 6, Circular Quay, tél. : (02) 9206-6666.
Ses croisières sur la baie sont agrémentées d'une très bonne cuisine.
**Jordan's Seafood Restaurant,** Darling Harbour,
tél. : (02) 9281-3711. Les fruits de mer sont excellents.

### Côte sud
Grâce à une population originaire des quatre coins du globe, la South Coast possède des restaurants très variés.
**The Lagoon Seafood Restaurant,** Stuart Park, North Wollongong, tél. : (02) 4226-1677.
C'est l'un des restaurants spécialisés en fruits de mer les plus renommés. Il offre des vues magnifiques.
**Charcoal Tavern,** 18 Regent Street, Wollongong,
tél. : (02) 4229-7298. C'est un restaurant très original, situé dans un ancien immeuble de style fédération. L'atmosphère y est très agréable et la cuisine excellente.

### Sud-Ouest
La plupart des restaurants de cette région sud se trouvent à Berrima et à Bowral.

Les salons de thé et les brasseries offrent des repas très simples, mais très complets.
Les hôtels et les complexes ont leurs propres restaurants et bénéficient généralement d'une licence pour servir de l'alcool.

### Blue Mountains
Le **Visitors Information Centre** met à la disposition du visiteur un magazine très complet sur tous les restaurants de la région.
Il s'agit du Blue Mountains Wonderland. La plupart des motels et des pensions de famille ont leur propre restaurant.
**Arjuna Restaurant,** Cliff Drive, Katoomba, tél. : (02) 4782-4662.
Une cuisine indienne et tandoori, qu'on savoure devant le paysage spectaculaire des montagnes.
**The Fork' n' View,** Leura Falls, Leura, tél. : (02) 4782-1164. Des vues magnifiques de la Jamison Valley et une cuisine internationale.
**Sirens Restaurant,** 194 Great Western Highway, Blackheath, tél. : (02) 4787-6111. Une cuisine australienne moderne servie, en été, dans les jardins paysagers et dans une salle à manger début du siècle, en hiver.

### Ouest
**Panthers Resort,** Mulgoa Road, Penrith, tél. : (02) 4721-7700.
Ce complexe dispose de cafés, de restaurants et de bars.
**Parkroyal Parramatta,** 30 Phillip Street, Parramatta,
tél. : (02) 9689-3333. Ce restaurant élégant offre un grand choix

# Sydney en un coup d'œil

de menus et possède une licence pour servir de l'alcool.

## Côte centrale

**The Galley Restaurant BYO,** Terrigal Sailing Club, The Haven, tél. : (02) 4385-1863. Un élégant restaurant qui offre des vues spectaculaires de l'océan Pacifique. BYO (voir p. 119).

**Swells Fish Café,** 100 The Esplanade, Terrigal, tél. : (02) 4384-6466. Ce restaurant est spécialisé dans les fruits de mer.

**The Karabee Floating Restaurant,** Gosford Waterfront, Gosford, tél. : (02) 4324-2733. Ce restaurant flottant propose une salle intérieure et des tables en terrasse.

### SHOPPING

Dans le quartier des affaires, au centre de Sydney, on trouve une grande variété de boutiques et de grands magasins. Des brochures disponibles dans la plupart des hôtels et des offices de tourisme vous conseillent sur les meilleurs endroits pour faire votre shopping. La Rocks Chamber of Commerce publie *The Rocks Directory,* une liste de boutiques dans le quartier des Rocks et un guide *Buying Opals in Sydney,* qui vous renseigne sur l'achat d'opales à Sydney.

**Double Bay,** dans la banlieue est. C'est un endroit très agréable pour faire des courses. Pour plus de renseignements, appelez le (02) 9388-8205.

**Queen Victoria Building,** publie une brochure qui décrit la plupart des boutiques de ce magnifique centre commercial. Le *Best Visitors*

*Guide - The Harbour Connection* est une brochure gratuite de 152 pages dont une quarantaine sont réservées au shopping à Sydney. Le **Shopping Spree Tours** est un tour organisé qui vous emmène dans un grand nombre de boutiques, tél. : (02) 9360-6220 ; appel gratuit : 1-800-625-969.

### VISITES ET EXCURSIONS

## Sydney

**AAT Kings** vous offre un grand choix de tours organisés d'1 ou 2 jours. Il faut réserver 24 h à l'avance, tél. : (02) 9252-2788, fax : (02) 9252-3009.

**Australian Pacific Tours** organise différents tours en cars dans Sydney et sa région. Un des plus demandés est celui des Blue Mountains. Il faut réserver 24 h à l'avance, tél. : 13-1304, fax : (02) 9247-2052.

**Clipper Gray Line,** met à votre disposition une grande variété de tours en cars dans Sydney et les environs, tél. : (02) 9241-3983.

**Matilda Harbour Cruises.** Un bateau part quatre fois par jour de Darling Harbour. Le déjeuner se compose de steaks et de fruits de mer grillés au barbecue, tél. : (02) 9264-7377.

**Captain Cook Cruises** vous emmène sur la baie de Sydney. Les billets sont valables toute la journée, ce qui vous permet de descendre du bateau lorsque vous le désirez et de partir explorer différentes régions. Départs de Circular Quay. Tél. : (02) 9206-1111.

**Sydney Harbour Seaplanes** survole la baie de Sydney.

L'hydravion décolle de la baie et y atterrit, tél. : (02) 9388-1978.

**Eastcoast Motorcycle Tours** vous permet d'aller explorer les plages du Nord, les Blue Mountains et les environs de Sydney en Harley Davidson, tél. : (02) 9545-4321.

**New South Wales Tourism,** 55 Harrington Street, The Rocks. Offre une grande variété de brochures et de renseignements sur les tours organisés et les excursions, et se charge de faire vos réservations. Tél. : (02) 9931-1111.

## Côte sud

**Australian Pacific Tours.** Réservez 24 h à l'avance au 13-1304, fax : (02) 9247-2052.

**FJ Tours,** tél. : (02) 9637-4466.

**Custom Motorcycle Tours,** tél. : (02) 4294-9096.

**The Wollongong Visitors Centre,** 93 Crown Street, tél. : (02) 4228-0300.

## Sud-Ouest

**Southern Highlands Discoverer,** tél./fax : (02) 4869-1888.

**Bowral Coaches,** tél. : (02) 4868-2827, fax : (02) 4868-2686.

## Blue Mountains

**AAT Kings,** réservations 24 h à l'avance, tél. : (02) 9252-2788, fax : (02) 9252-3009.

**Australian Pacific Tours,** réservations 24 h à l'avance tél. : 13-1304, fax : (02) 9247-2052.

# Sydney en un coup d'œil

**Clipper Gray Line,** réservations 24 h à l'avance, tél. : (02) 9241-3983.

### Côte centrale
**AAT Kings,** réservations 24 h à l'avance, tél. : (02) 9252-2788, fax : (02) 9252-3009.

**Great Sights South Pacific,** réservations 24 h à l'avance, tél. : (02) 9241-2294.
Ces deux sociétés de tours organisés offrent des excursions d'une journée sur le Hawkesbury River, à Old Sydney Town et à l'Australian Reptile Park.

### ADRESSES UTILES

**Sydney Information Booth** est un bureau situé sur Martin Place où vous pourrez obtenir toutes les informations nécessaires à votre séjour à Sydney et dans les environs. Il met à la disposition du visiteur un grand assortiment de dépliants et de brochures très utiles, tél. : (02) 9235-2424.

**The Rocks Visitors Centre,** 106 George Street, The Rocks, tél. : (02) 9255-1788.

**Travellers Information,** International Terminal Sydney Airport, tél. : (02) 9667-9083.

**Manly Visitors Information Bureau,** South Steyne, Manly Beach, tél. : (02) 9977-1088.

**Quayside Booking Centre,** jetée 6, Circular Quay, tél. : (02) 9247-5151.

**YHA Membership & Travel Center,** 422 Kent Street, tél. : (02) 9261-1111.

**National Parks and Wildlife Service,** Cadman's Cottage, 110 George Street, tél. : (02) 9247-5033.

**Government Department Passport Information,** 255 Pitt Street, tél. : 13-1232.

**Consulat général de France,** St Martins Tower, 21 Market Street Sydney NSW 2000, tél. : (02) 9261-5779, fax : (02) 9283-1210.

### HÔPITAUX
**St Luke's,** 18 Roslyn Street, Potts Point, (02) 9356-0200.

**Sydney Eye Hospital** (ophtalmologie), Macquarie Street, tél. : (02) 9382-7111.

**Travellers Medical & Vaccination Centre,** tél. : 1-902-261-560 (renseignements, appel gratuits) ou (02) 9221-7133 (rendez-vous).

### URGENCES
**Ambulance, incendies, police,** tél. : 000.

### Sud-Ouest
**Visitors Information Centre,** Hume Highway, Mittagong, tél. : (02) 4871-2888.

### Blue Mountains
**Visitors Information Centre :** Great Western Highway, Glenbrook ; Echo Point, Katoomba, tél. : (02) 4739-6266, fax : (02) 4739-6787.

### Ouest
**Windsor Visitor Information Centre,** au coin de Windsor Road et de Groves Avenue, tél. : (02) 4577-2310.

**Penrith Information Centre,** 250 High Street, tél. : (02) 4732-7671.

### Côte centrale
**Visitors Information Centre :** **Terrigal,** Lagoon Tea House ; **Rotary Park,** Terrigal Drive ; **Gosford,** 200 Mann Street ; **The Entrance,** Marine Parade ; **Toukley & Districts,** Wallarah Park, Gorokan.

Pour joindre ces centres de renseignements, appelez le (02) 4385-4430 ou le 1-800-806-258 (appel gratuit). Consultez aussi la page 122 de ce livre, au chapitre **« Renseignements utiles »**.

| SYDNEY | J | F | M | A | M | J | J | A | S | O | N | D |
|---|---|---|---|---|---|---|---|---|---|---|---|---|
| Températures °C | 23 | 23 | 22 | 19 | 17 | 14 | 12 | 14 | 16 | 18 | 20 | 22 |
| Hres d'ensol. (par jour) | 8 | 7 | 7 | 6 | 6 | 6 | 7 | 8 | 8 | 8 | 8 | 8 |
| Précipitations (mm) | 104 | 117 | 135 | 129 | 121 | 131 | 100 | 81 | 69 | 79 | 82 | 78 |
| Jours de pluie | 12 | 12 | 13 | 12 | 12 | 12 | 10 | 10 | 10 | 11 | 11 | 12 |

# Informations pratiques

## Offices du tourisme

L'Australian Tourist Commission, à Sydney et dans toutes les grandes villes du monde, offre de nombreuses brochures gratuites sur l'Australie.

À Sydney et dans les environs, on trouve de nombreux centres généralement bien indiqués, où vous pouvez vous procurer tous les documents touristiques (cartes, dépliants et brochures) nécessaires à votre séjour. Vous pouvez aussi les appeler si vous avez des questions à leur poser. Ils sont ouverts de 9 h à 17 h pendant la semaine et le samedi matin.

**Sydney :** Tourism New South Wales, 55 Harrington Street, The Rocks, Sydney NSW 2000, tél : (02) 9931-1111.

**Blue Mountains :** Glenbrook Visitor Centre, Great Western Highway, Glenbrook NSW 2773, tél. : (02) 4739-6266.
Echo Point Information Centre, Echo Point, Katoomba NSW 2780, tél : (02) 4782-0799.

**Sud-Ouest :** Tourist Information Centre, dans le parc, Hume Highway, Mittagong NSW 2780, tél. : (02) 4871-2888.

**Côte sud :** Wollongong Tourist Information Centre, 93 Crown Street, Wollongong NSW 2500, tél : (02) 4228-0300.
Kiama Tourist Information Centre, Blowhole Point, Kiama NSW 2533, tél : (02) 4232-3322, ou appel gratuit : 1-800-803-897.

**Banlieues ouest :**
Windsor Tourist Information Centre, au coin de Windsor Road et de Groves Avenue, Windsor NSW 2756, tél : (02) 4577-2310.
Penrith Tourist Information Centre, 259 High Street, Penrith NSW 2750, tél : (02) 4732-7671.

**Côte centrale :** Central Coast Tourism, Gosford, 200 Mann Street, Gosford NSW 2250.
Central Coast Tourism, Tuggerah Lakes, Marine Parade, The Entrance NSW 2261.
Central Coast Tourism, Terrigal, Terrigal Drive, Terrigal NSW 2260, Appel gratuit pour les trois adresses : 1-800-806-258.

Le National Parks and Wildlife Service fournit toute la documentation concernant ce domaine. Le National Trust offre des guides de randonnée gratuits. Le NRMA met des cartes gratuites à la disposition des membres des associations qui lui sont affiliées.
NRMA, 151 Clarence Street, Sydney NSW 2000, tél. : 13-1122.

## Formalités d'entrée

Un passeport valide et un visa sont demandés aux ressortissants de presque tous les pays.
Les visas sont délivrés par les ambassades ou consulat d'Australie. (Ambassade d'Australie en France : 2, rue Jean-Rey 75015 Paris. Tél. : 01 40 59 33 00).

**Le visa de tourisme** est valide trois mois et coûte 145 $A. Si vous désirez séjourner plus longtemps, vous devrez obtenir une autorisation de séjour prolongé au même tarif. (Une extension de visa sollicitée en Australie vous coûtera une somme identique.) Le temps qui vous est accordé dépend de la décision officielle des représentations consulaires. On vous demande d'avoir un billet aller-retour et des fonds suffisants ; toutefois, aucune somme n'est précisée.

**« Working Holiday Marker »**
Ce visa est réservé aux jeunes de 18 à 26 ans. Il permet de séjourner jusqu'à 1 an, mais de travailler seulement pendant trois mois. La cueillette des fruits est une occupation saisonnière qui intéresse beaucoup de jeunes. Il est nécessaire de constituer un dossier concernant votre projet de remplir le formulaire 147 disponible au service d'immigration de l'ambassade

australienne et d'attester de ressources suffisantes pour votre transport et votre séjour.

Des **extensions de visas** peuvent être très longues à obtenir et nécessitent en général une série de procédures complexes. Il vaut mieux en faire la demande longtemps à l'avance. On vous demandera la somme de 145 A$ quelle que soit la réponse de l'administration.

## Douanes

Les douaniers australiens opèrent des contrôles dans les aéroports internationaux. Ils sont particulièrement vigilants en ce qui concerne les armes (même si elles ne sont utilisées que pour les cérémonies) et la drogue.

Par ailleurs, il faut déclarer toutes les marchandises d'origine animale ou végétale telles que les objets en cuir, les plumes, la nourriture, le bois. L'Australie a jusqu'à présent réussi à échapper aux insectes nuisibles et aux maladies qui affectent la faune et la flore dans la plupart des pays du monde. C'est la raison pour laquelle les douaniers demandent aux visiteurs s'ils viennent de faire un séjour dans une ferme avant leur arrivée sur le territoire australien.

Il faut être âgé de plus de 18 ans pour acheter des articles hors taxe. Ces achats sont limités à 250 cigarettes ou 250 g de cigares ou de tabac, 1 litre d'alcool et des articles à hauteur de 400 A$. Si vous dépassez cette somme, vous devez payer une taxe d'importation à votre arrivée.

## Formalités de santé

Les vaccinations ne sont pas obligatoires, sauf si vous venez de faire un séjour dans un pays infecté par le choléra, la variole ou toute autre maladie contagieuse. Vérifiez auprès du consulat ou de

l'ambassade australienne de ce pays, car on peut vous demander un certificat de santé, à votre arrivée. En Australie, il n'existe aucune maladie contagieuse contre laquelle on doit être vacciné.

## Transports aériens

Réservez longtemps à l'avance si vous désirez voyager au moment des congés (voir « Jours fériés » p. 125).

Le Kingsford Smith Airport, l'aéroport de Sydney, est le plus important d'Australie ; c'est ce qui explique certains retards au moment de l'atterrissage ou du passage des douanes. Il comprend les terminaux des lignes intérieures et internationales.

Un service de bus relie l'aéroport au centre-ville et dessert les principaux hôtels (voir aussi « Sydney en un coup d'œil » p. 116). N'oubliez pas de garder 27 $A pour payer votre **taxe d'aéroport** et 3,40 $A pour la noise tax.

## Vêtements

À Sydney, les étés sont longs et chauds, les hivers sont généralement doux et secs. Dans les Blue Mountains, la température peut descendre au-dessous de zéro. Sur la côte centrale, il fait à peu près 5° de plus qu'à Sydney, en hiver. La côte sud et les banlieues de l'Ouest ont un climat semblable à celui de Sydney. On s'habille généralement de façon très décontractée. Le soir, on préfère une élégance confortable, qui peut être plus sophistiquée à certaines occasions. Bien entendu, à la plage, dans les petits snacks et les restaurants plus populaires et les pubs, les tenues sont beaucoup plus simples.

L'été (d'octobre à avril), emportez des vêtements légers et un chapeau. Il peut faire frais pendant la nuit.

À Sydney, il pleut souvent en été. En hiver, prenez un manteau léger et des vêtements chauds, surtout si vous allez dans les Blue Mountains.

## Argent

Les banques ouvrent de 9 h à 16 h du lun. au jeu. et le ven. restent ouvertes jusqu'à 17 h. Dans les grandes villes, les horaires d'ouverture vont de 8 h à 18 h du lun. au ven.

Les chèques de voyage sont pratiques, surtout lorsqu'ils sont en dollars australiens, car ils peuvent bénéficier d'un meilleur taux de change que les monnaies étrangères. Un passeport suffit comme papier d'identité. Les cartes bancaires sont acceptées partout, sauf, peut-être, dans les petites boutiques ou les villes éloignées. Les sociétés de location de voitures les préfèrent à toute autre forme de paiement.

L'unité monétaire est le dollar australien divisé en 100 cents. Il existe des pièces de 5 c, 10 c, 20 c, 50 c, 1 $A, et 2 $A, et des coupures de 5 $A, 10 $A, 20 $A, 50 $A et 100 $A. L'importation ou l'exportation de devises australiennes ne sont pas limitées, toutefois vous devez demander une autorisation pour l'exportation de plus de 5 000 $A. Vous pouvez aussi ouvrir un compte bancaire dans les banques principales. Vous aurez ainsi l'autorisation d'utiliser une carte qui vous permettra de retirer de l'argent aux distributeurs. Ils sont ouverts 24 h sur 24. Vous pourrez retirer 400 ou 500 $A par jour et utiliser cette carte pour vos appels téléphoniques dans les cabines spéciales qui se trouvent dans la plupart des agglomérations. Grâce au système EFTPOS, vous pourrez payer vos achats avec votre carte dans la plupart des stations-service et des supermarchés.

## Pourboires

Il n'est pas fréquent de laisser un pourboire en Australie, mais, si vous le souhaitez, ajoutez 10 % à l'addition dans un restaurant lorsque vous êtes satisfait du service. Les menus sont copieux, la nourriture est de très bonne qualité et assez bon marché. Les prix incluent taxes et service.

## Hébergement

La NRMA publie un guide des hôtels qui vous donne des renseignements sur les catégories d'hôtels, leurs prix et leur confort. On peut l'acheter dans les succursales de la NRMA (*voir* p. 122).

## Restauration

Sydney possède une grande variété de restaurants, de cafés et de pubs où l'on sert une très bonne cuisine. Dans certaines banlieues, le choix est moins intéressant. Le *Good Food Guide*, un magazine qui paraît annuellement, présente de nombreuses suggestions et des commentaires sur les diverses cuisines que l'on trouve à Sydney. Vous pouvez préférer McDonald's, Kentucky Fried Chicken, Pizza Hut ou les petits fast-foods locaux (*voir* p. 118) ; vous serez toujours satisfait par la fraîcheur des produits et les prix beaucoup moins élevés que dans les pays européens.

## Transports

**Aériens.** L'aéroport de Sydney est le plus important d'Australie. De nombreux vols arrivent d'Asie du Sud-Est, d'Afrique, d'Amérique, et du Pacifique. Appelez le 013 pour trouver les numéros de téléphone des compagnies internationales.
**Location de voitures.** Pour vous déplacer dans Sydney et les environs, vous pouvez utiliser les moyens de transport publics. Toutefois, il est agréable d'explorer la région à sa guise et d'être libre de son emploi du temps. Il existe de nombreuses sociétés de location de voitures à la fois internationales et australiennes. La concurrence entre ces diverses agences vous permet de bénéficier de prix compétitifs et d'offres spéciales. Avis, Hertz et Budget sont les agences principales, qui ont leurs bureaux à l'aéroport de Sydney. Elles offrent les mêmes avantages que les agences locales, mais ces dernières tendent à proposer des offres spéciales. En ville, le tarif est calculé selon le kilométrage alors qu'à la campagne on vous demande un taux fixe, plus un supplément par kilomètre. Il faut aussi vérifier que les tarifs prennent en compte l'assurance. Les petites sociétés sont souvent moins chères, mais soyez vigilants et lisez les contrats attentivement. Consultez l'annuaire *Yellow Pages* (les pages jaunes) ou le *Telstra Telephone Business Directory*. Vous avez besoin d'un permis de conduire en cours de validité, et vous devez être âgé de plus de 21 ans.
**Bus.** Les cars de Sydney qui circulent en Nouvelle-Galles du Sud et vers les autres États ont des horaires réguliers et très fréquents. Ils sont aussi très confortables. Mais les distances sont très longues et les déplacements prennent beaucoup de temps (13 h de Sydney à Melbourne). Pour tous renseignements, contactez Australian Pacific Tours, tél. : (02) 9252-2988) ou Greyhound/Pioneer, tél. : 13-2030.
**Trains.** Countrylink est le réseau de chemin de fer de la Nouvelle Galles du Sud. Il est très important. On peut aussi faire ses réservations pour les voyages vers les autres États, tél. : (02) 9224-4744.

## Heures d'ouverture

Les magasins sont ouverts du lun. au ven. de 8 h 30 ou 9 h jusqu'à 17 h ou 17 h 30, le sam. de 9 h à 16 h. Le jeu. et/ou le ven., ils restent ouvert jusqu'à 20 h ou 21 h. Cependant, ces horaires peuvent varier suivant les centres. La plupart des grandes chaînes de supermarchés ouvrent 7 jours sur 7. Les petites boutiques, les *milk bars*, les épiceries et les librairies ont des horaires d'ouverture très souples.

## Décalages horaires

Sydney a 10 heures d'avance au GMT, ou 9 heures par rapport à la France. Lorsqu'il est midi en France, il est 21 h à Sydney (22 h en été, d'octobre à mars).

---

**INFORMATIONS SUR LES HANDICAPÉS**

**National Information Communication Awareness Networt (NICAN)**
Office of Disability
Tel. : 62 85 37 13
Fax : 62 85 37 14
e-mail : nican@spirt.com.au

La conduite est à gauche mais les panneaux sont conformes aux normes internationales. On peut obtenir tous renseignements concernant la circulation dans Sydney et les environs à la NRMA. Cet organisme possède de nombreuses cartes et est à votre disposition pour vous renseigner sur le code de la route et les panneaux qui vous seraient inconnus.

## Communications

La poste australienne assure avec efficacité tous les services habituels. Les bureaux de poste sont ouverts de 9 h à 17 h, du lun. au ven.
Certains sont aussi ouverts le sam. matin. Les tarifs pour les envois à l'étranger sont assez chers. Dans les régions rurales, les téléphones publics sont situés à l'extérieur des bureaux de poste.

## Électricité

Le voltage est de 220-240 V. Les prises sont à deux ou trois fiches plates.
Des adaptateurs sont en vente, en France ou à Sydney dans les magasins de matériel audiovisuel.
Sinon, changez la prise de vos appareils.

## Poids et mesures

L'Australie a adopté le système métrique à la fin des années 1960. Les distances sont indiquées en kilomètres, l'essence et les boissons sont vendus au litre, les températures en centigrade et les fruits et légumes se vendent au kilo.

## Précautions de santé

Les conditions d'hygiène à Sydney sont excellentes. La nourriture est de qualité et l'eau courante est potable. Les vaccinations ne sont pas obligatoires, sauf si vous avez fait un séjour dans un pays infecté, les deux semaines qui précèdent votre entrée en Australie.

Si vous partez en randonnée, portez des bottes, des chaussettes épaisses et des pantalons. Soyez prudent, regardez où vous posez les mains. Les tiques et les sangsues sont très nombreuses dans la broussaille. Après une marche, vérifiez que vous n'en avez pas attrapé. Enlevez les tiques avec du kérosène ou de l'alcool à brûler (attention ! prenez garde d'enlever aussi la tête du parasite). Pour les sangsues, de l'eau salée ou un peu de chaleur suffit.

Les piqûres d'araignées venimeuses et les morsures de serpents sont très rares. Si cela vous arrive, essayez de capturer votre assaillant (sans insister s'il est plus rapide que vous) afin de pouvoir déterminer le vaccin qu'il vous faut. Gardez votre calme, enveloppez d'une bande bien serrée l'endroit où vous avez été piqué ou mordu comme vous le feriez pour une cheville foulée. (Surtout, n'essayez pas de faire sortir le venin en suçant, et ne vous servez pas de garrot.) Éclissez le membre affecté, immobilisez-vous et faites appeler le médecin.

Ces mêmes conseils sont à suivre lorsqu'il s'agit de piqûres de guêpes de mer. Ce sont des méduses mortelles qui vous piquent avec leurs tentacules. Frottez la plaie avec du vinaigre et laissez

La période de Noël est incluse dans les grandes vacances scolaires et beaucoup des habitants de Sydney prennent des congés à ce moment : du 16 décembre environ, jusqu'au 1er février. Les trois autres périodes de congés sont : à Pâques, dix jours en avril ; en hiver pendant deux semaines au mois de juillet ; au printemps, la dernière semaine de septembre et la première semaine d'octobre. Les jours fériés sont les suivants :

**1er janvier :** Nouvel An
**26 janvier :** Australia Day
**Pâques :** vendredi saint, samedi, dimanche et lundi de Pâques
**25 avril :** Anzac Day
**10 juin :** Anniversaire de la Reine
**25 décembre :** Noël
**26 décembre :** Boxing Day

les dards. Ne vous baignez pas dans des endroits qui ne sont pas protégés.

La radio vous tient toujours au courant de leur progression. Prenez garde à éteindre vos cigarettes et à ne laisser aucun débris de verre. Le climat sec et chaud est propice à l'expansion de feux de forêts. Si vous êtes surpris par des flammes, dirigez-vous vers une clairière. Quittez la route, restez dans votre véhicule, couvrez-vous d'une couverture en laine et blottissez-vous sous le tableau de bord.

Lorsque vous faites des randonnées ou du camping, assurez-vous de laisser une copie de votre itinéraire à des amis et préparez-vous soigneusement.

Les nuits peuvent être très fraîches malgré les températures torrides de la journée.

Le soleil australien est la cause d'un taux de cancer de la peau très élevé. Si vous vous exposez pendant quelque temps, utilisez de la crème solaire, mettez un chapeau et portez une chemise à manches longues avec un col.

### Service hospitalier

Le service hospitalier est gratuit pour les Australiens et les résidents permanents. Le système Medicare couvre presque la totalité des soins. Cependant, seuls les ressortissants néo-zélandais et du Royaume-Uni peuvent bénéficier de cette couverture.
Tous les visiteurs étrangers doivent payer intégralement leurs soins. Le tarif d'une visite médicale est d'environ 35 $A.
Il vaut mieux prendre une assurance avant de partir et vous munir d'une trousse à pharmacie.

### Sécurité

Sydney étant la plus grande ville d'Australie, on peut s'attendre à y rencontrer les mêmes dangers que dans toute autre cité de cette importance.
Bien entendu, certaines zones sont plus dangereuses que d'autres. Si vous vous promenez à Kings Cross et du côté d'Oxford Street, soyez prudents.
La police surveille les endroits à risques.
On compte 12 000 policiers en Nouvelle-Galles du Sud.
Entre 1992 et 1993, on a répertorié 110 homicides (1,9 pour 100 000 personnes) et 4 513 victimes de violences

sexuelles (75,7 pour 100 000 personnes) en NGS.

### Urgences

Le numéro de téléphone des urgences est le **000** ; en cas de problème grave, vous pouvez appeler un numéro spécial 24 h sur 24 h et demander l'aide d'un interprète. Ces numéros sont sur la page de garde de l'annuaire téléphonique : « White Pages » (pages blanches).
Les pharmacies et les magasins ouverts toute la nuit vendent des préservatifs. Vous pouvez aussi en trouver dans des distributeurs automatiques, dans les toilettes des universités et de certains hôtels. La pilule contraceptive n'est vendue que sur ordonnance.

### Usages

La société australienne est, en général, très décontractée. Les hommes d'affaires portent des costumes et des cravates, mais, dans les banlieues et les zones rurales, la tenue est beaucoup moins stricte. Certains hôtels, clubs et restaurants exigent une tenue soignée, c'est-à-dire : pas de short, de maillot de corps, ni de tongs. Cette restriction vise à donner à ces endroits une atmosphère un peu sophistiquée.
Les *Sydneysiders* sauront vous dire ce qui est acceptable et ce qui ne l'est pas.

### Langue

L'anglais est la langue nationale. Bien que la société australienne soit multiculturelle – ce qui signifie que la plupart des grandes entreprises ont des traducteurs et des interprètes –, dans les banlieues et les zones rurales,

il est préférable de parler anglais. Telstra offre un service d'interprètes. Les numéros de téléphone sont répertoriés dans l'annuaire : « White Pages » (pages blanches).

L'anglais parlé en Australie a ses propres variantes dialectales. Pour avoir une idée des expressions typiquement australiennes, consultez : Aussie Talk, *The Macquarie Dictionary of Australian Colloquialisms* (1984), édité par Macquarie Library, Sydney.

---

### LECTURE

**Romans :**
• Ruth Park (1948) *The Harp in the South,* Penguin, Londres.
• D.H. Lawrence (1933) *Kangourou,* éd. Gallimard .
• Christina Stead (1944) *For Love Alone,* Angus & Robertson, Sydney.
• Kenneth Slessor (1939) *Selected Poems,* Angus & Robertson, Sydney.

**Littérature non romanesque :**
• Cyril Pearl (1959) *Wild Men of Sydney,* Angus & Robertson, Sydney.
• Jan Morris (1992) *Sydney,* Viking-Penguin, Londres.
• Robert Hughes (1987) *The Fatal Shore,* Pan, Londres.
• Bruce Elder (1988) *Blood on the Wattle : The Massacres and Maltreatment of Aborigines since 1788,* National Books, Sydney.

# Index